# 商業建築内装パース集

グラフィック社編集部 編

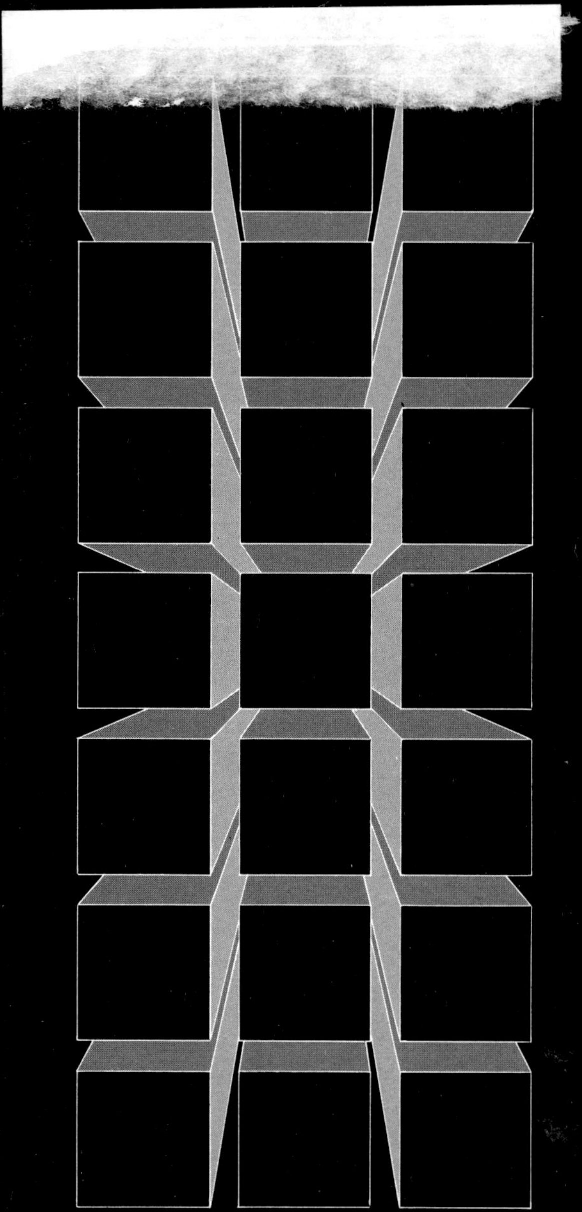

グラフィック社

## 目　次





カバー……T.S.Cパブリック計画案（作画・熊谷常男、設計・川口稔光）

COMMERCIAL INTERIOR PERSPECTIVES

Edited by Graphic-sha Editorial Staff



This revised edition was published in 1994 by
Graphic-sha Publishing Co., Ltd.
1-9-12 Kudan-kita Chiyoda-ku Tokyo 102 Japan
Phone : 81 3 3263 4318 Fax : 81 3 3263 5297

ISBN4-7661-0171-5

Printed in Hong Kong by Everbest Printing Co., Ltd.

# ●作　品

❶建築物名(店名)❷所在地❸設計事務所❹パース作画者

❶朝日麦酒アサヒビール園「レストランピルゼン」❷札幌市❸❹(株)スペースデザイン一級建築士事務所・武石馨

❶ファッションビルH❷東京・銀座❸❹(株)乃村工芸社商業施設開発事業部

❶レストラン「B」❸(株)丹青社・山本勝三❹熊谷常男

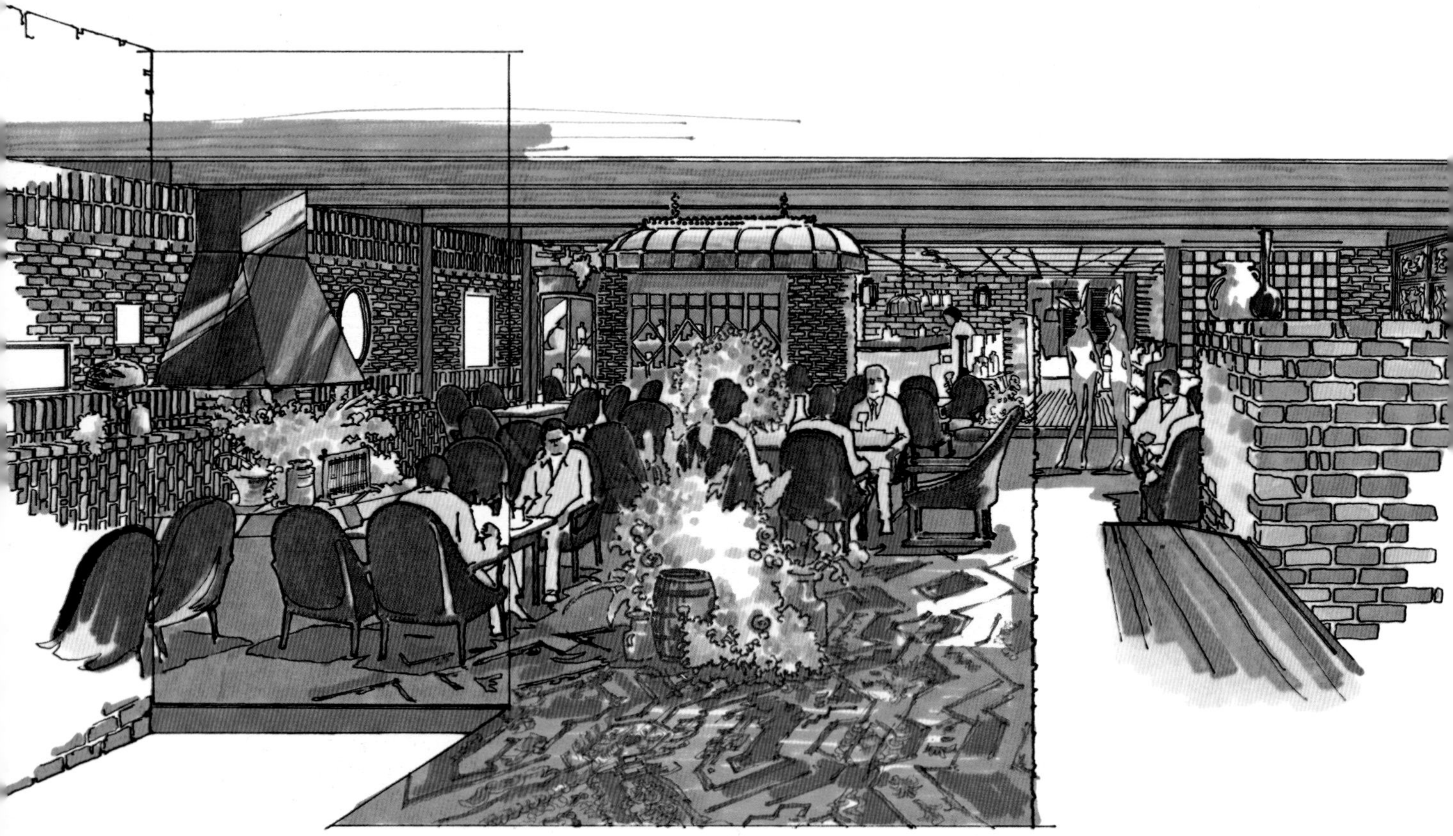

❶パブ計画案❷金沢市❸❹(株)日展・永井朔

※❶パブレストラン「ハッピートーク」❷東京・赤坂❸(株)白宣建築工芸・尾崎義龍❹浦田武

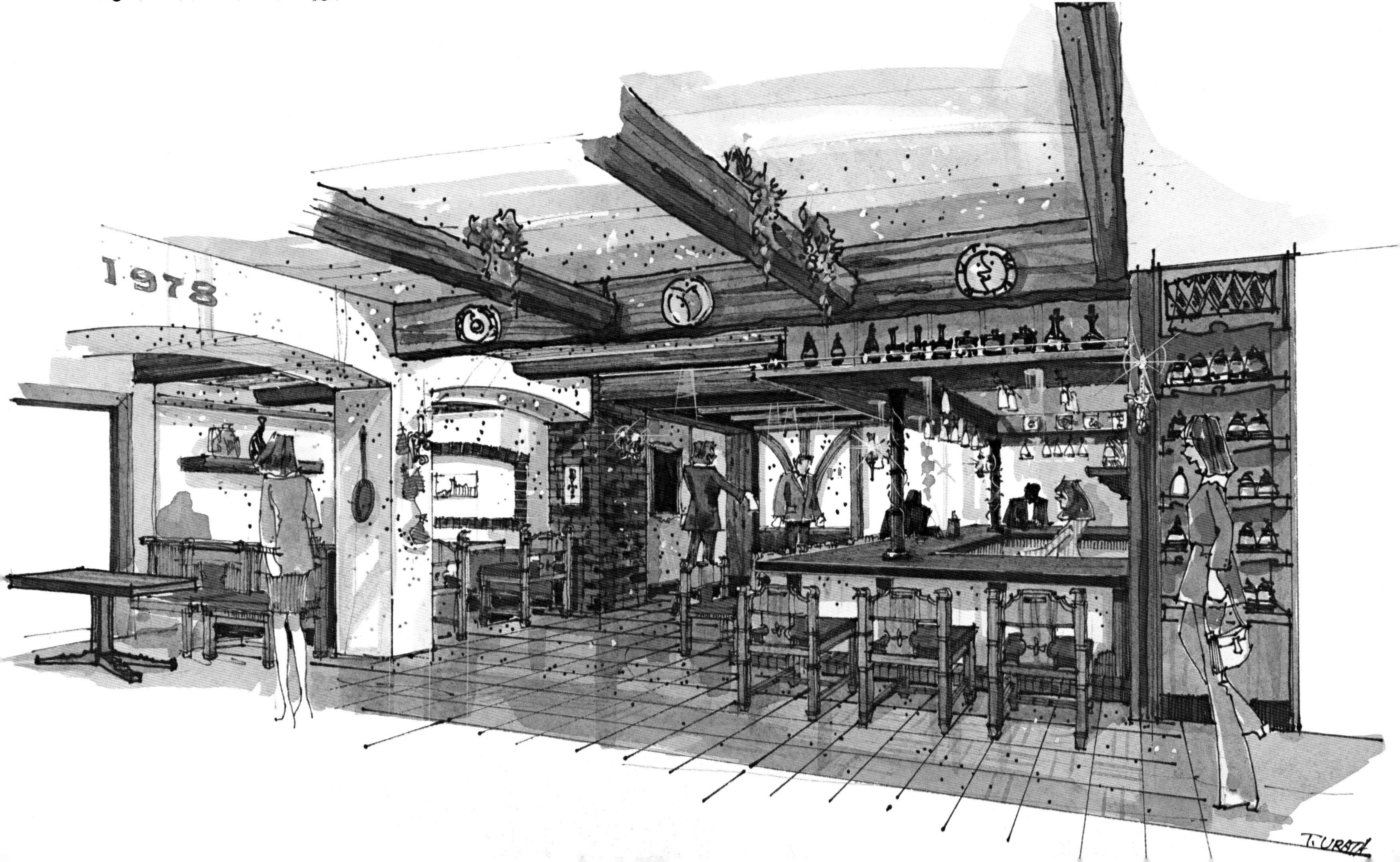

❶レストラン&パブ「パルテノン」
❸(株)エクスプレーンインダストリー
❹山城スタジオ・山城義彦

❶ピザハウスS計画案❹オレンジブック・小椋勇記夫

❶ラウンジレストラン❸大壁英彦❹ドーンデザイン・水戸岡鋭治

❶ヨシノヤ靴店❷札幌市❸竹内スタジオ・竹内欽吾❹松森良雄

❶ヨシノヤ靴店❷東京・銀座❸竹内スタジオ・竹内欽吾❹松森良雄

❶ゲームコーナープラン❷大阪❸❹(株)辻本デザイン事務所・辻本達広

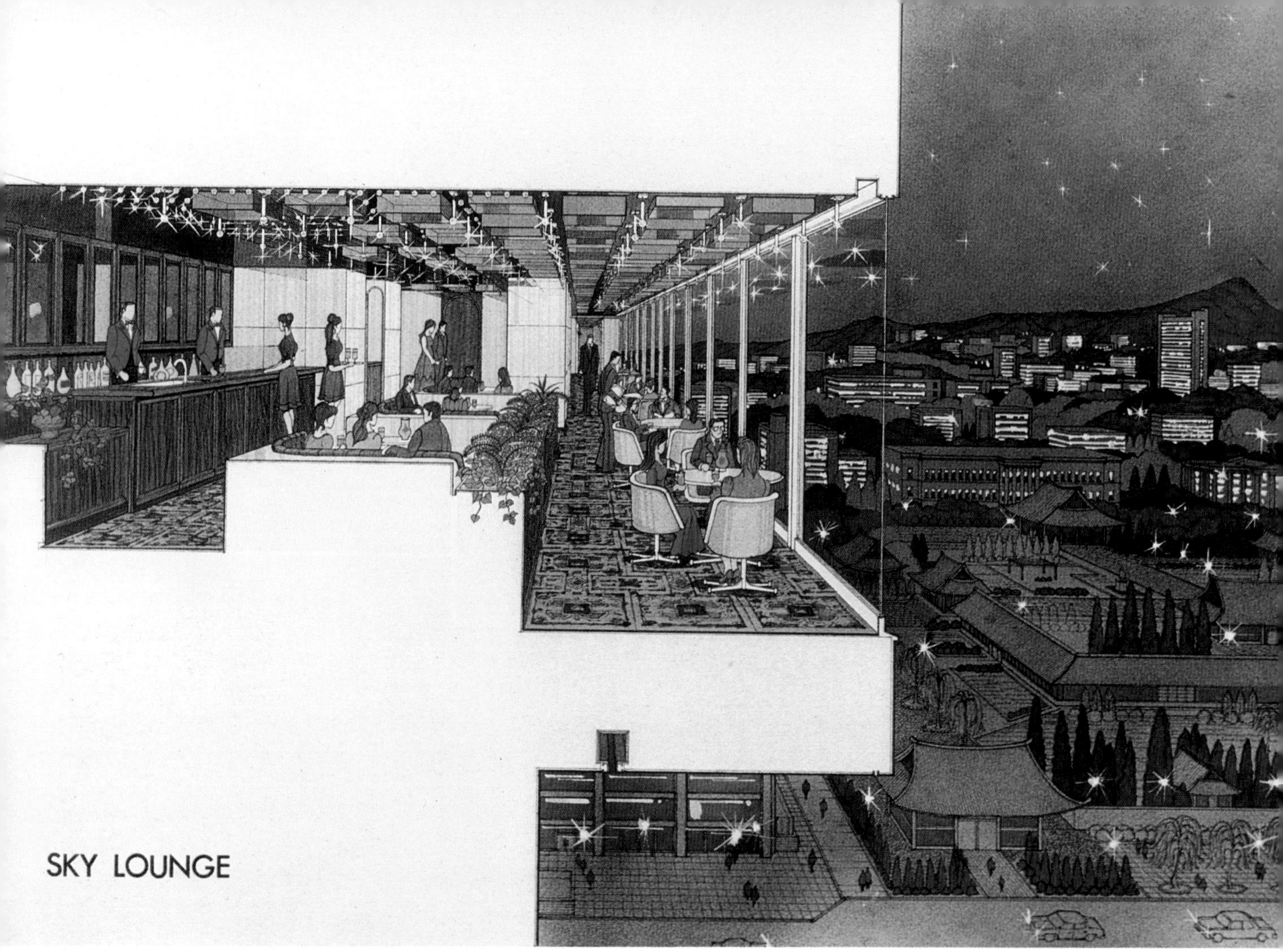


❶ソウル・プラザホテル❷韓国・ソウル❸❹大成建設(株)

22 F スカイ・ラウンジ

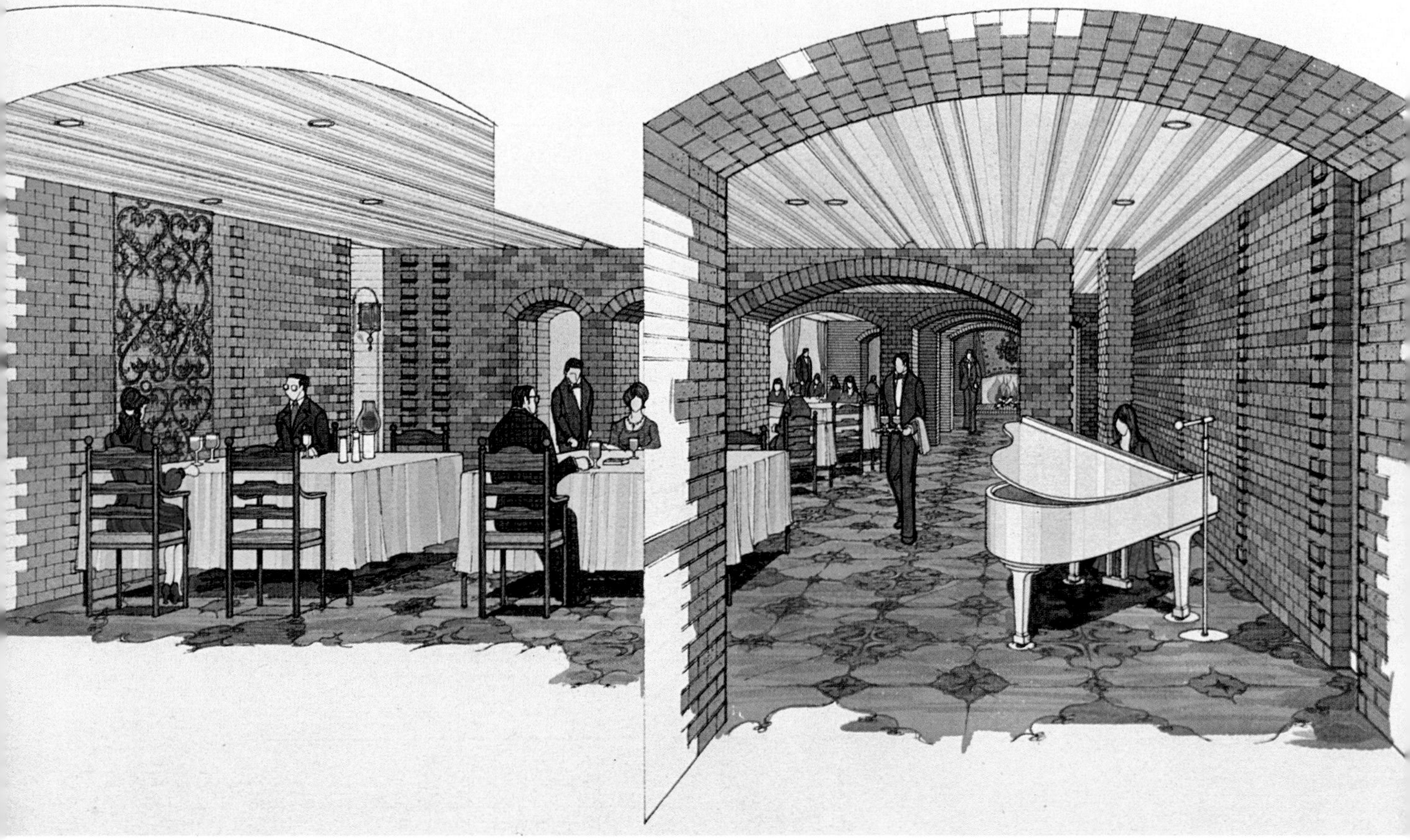

2F メイン・ダイニング

2F メイン・バー

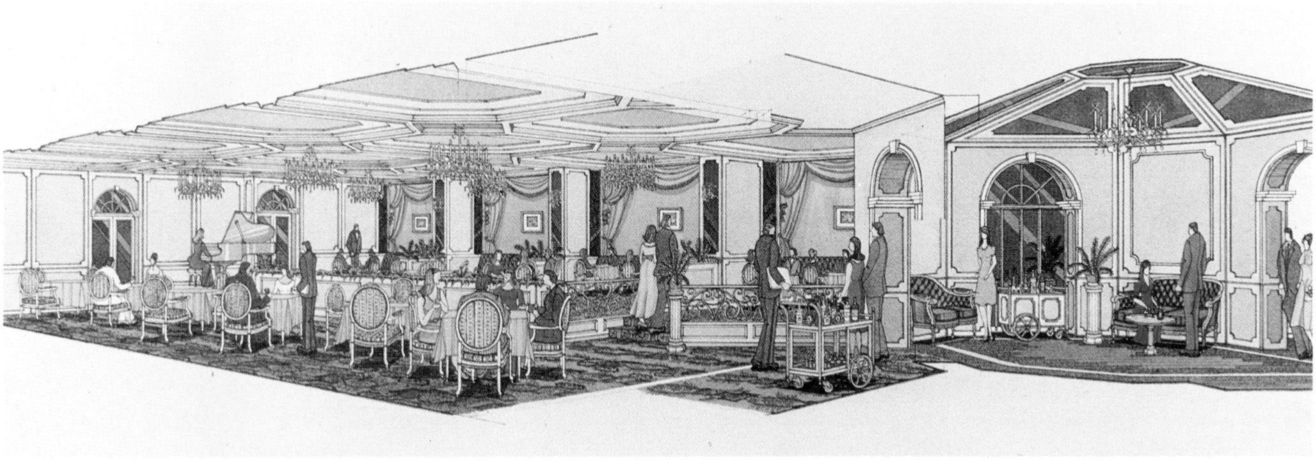

22F スカイ・レストラン

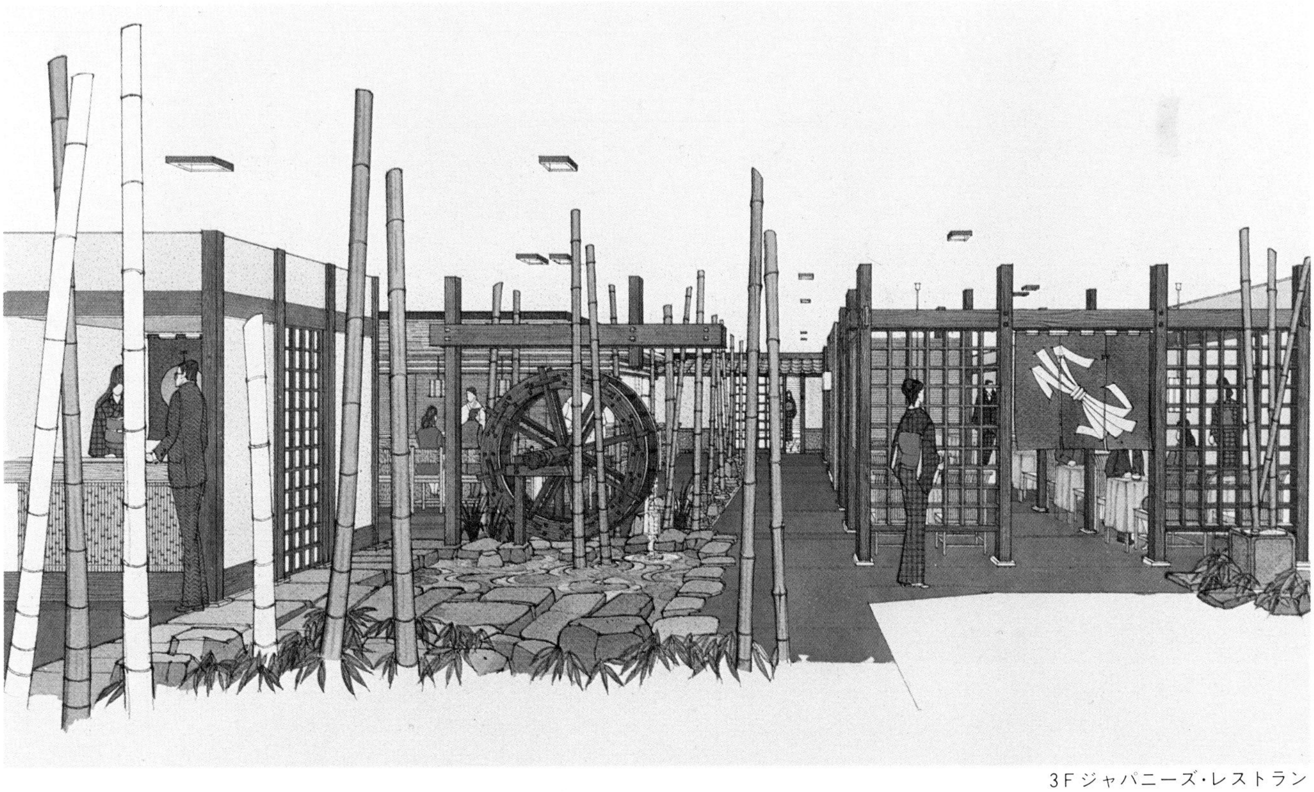

3F ジャパニーズ・レストラン

❶ホテル霞友会館レストラン❷東京・千代田区❸吉江憲吉設計事務所❹(株)オズ・アトリエ

❶こども服「さんぽ」❷相模原市❸ニッテン設計事務所・八百一善❹同・武塙彩子

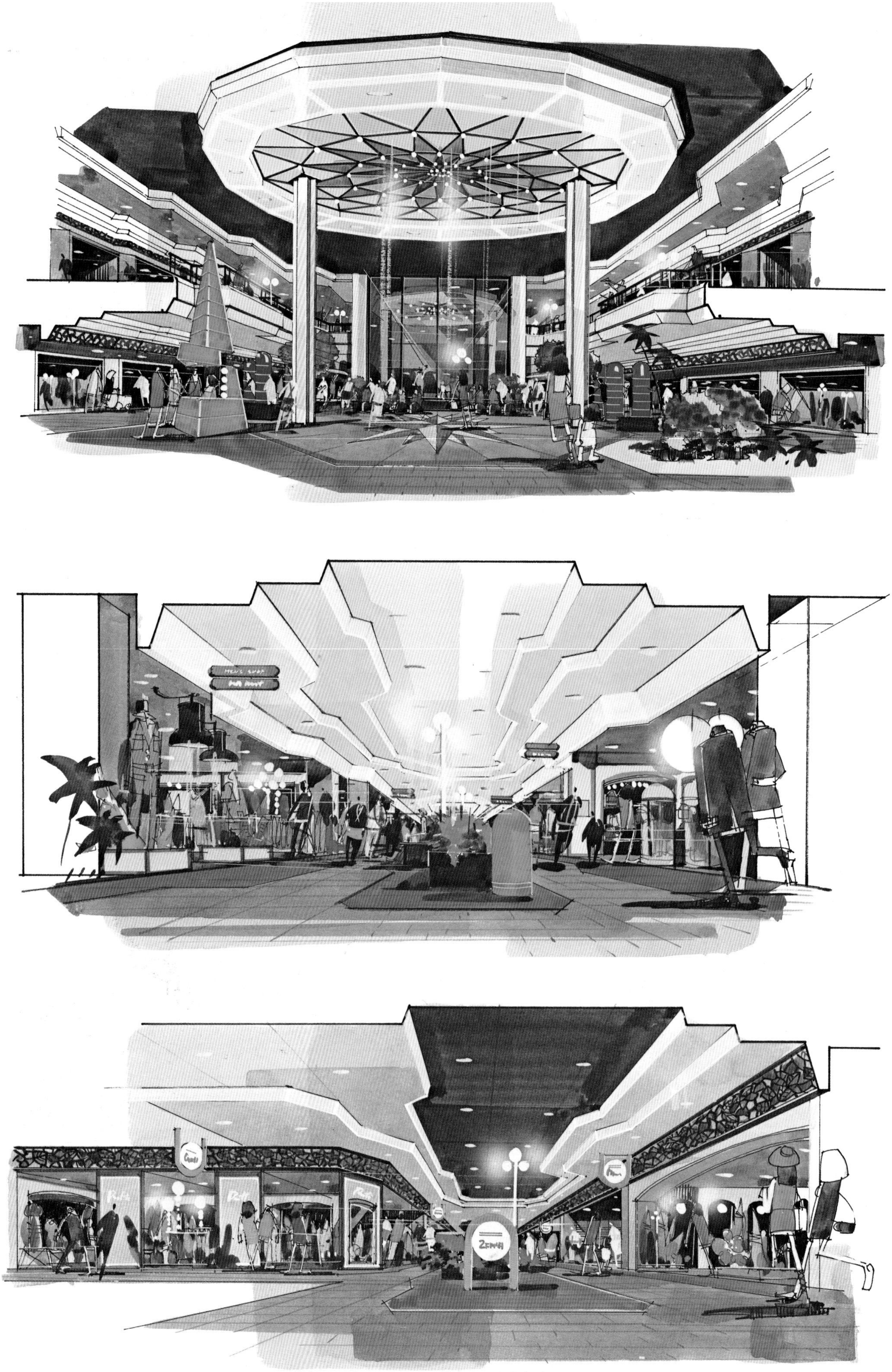

❶寝屋川グリーンシティ❷寝屋川市❸(株)東畑建築事務所❹(株)船場SC総合開発研究所・笹木秀近

汽車の旅

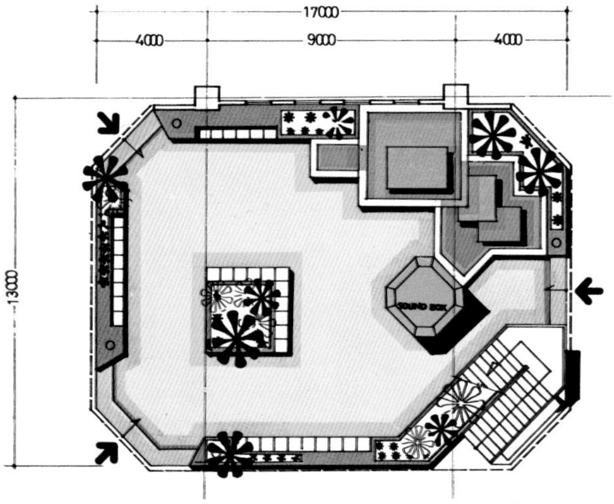
17000
4000
9000
4000
13000
SOUND BOX

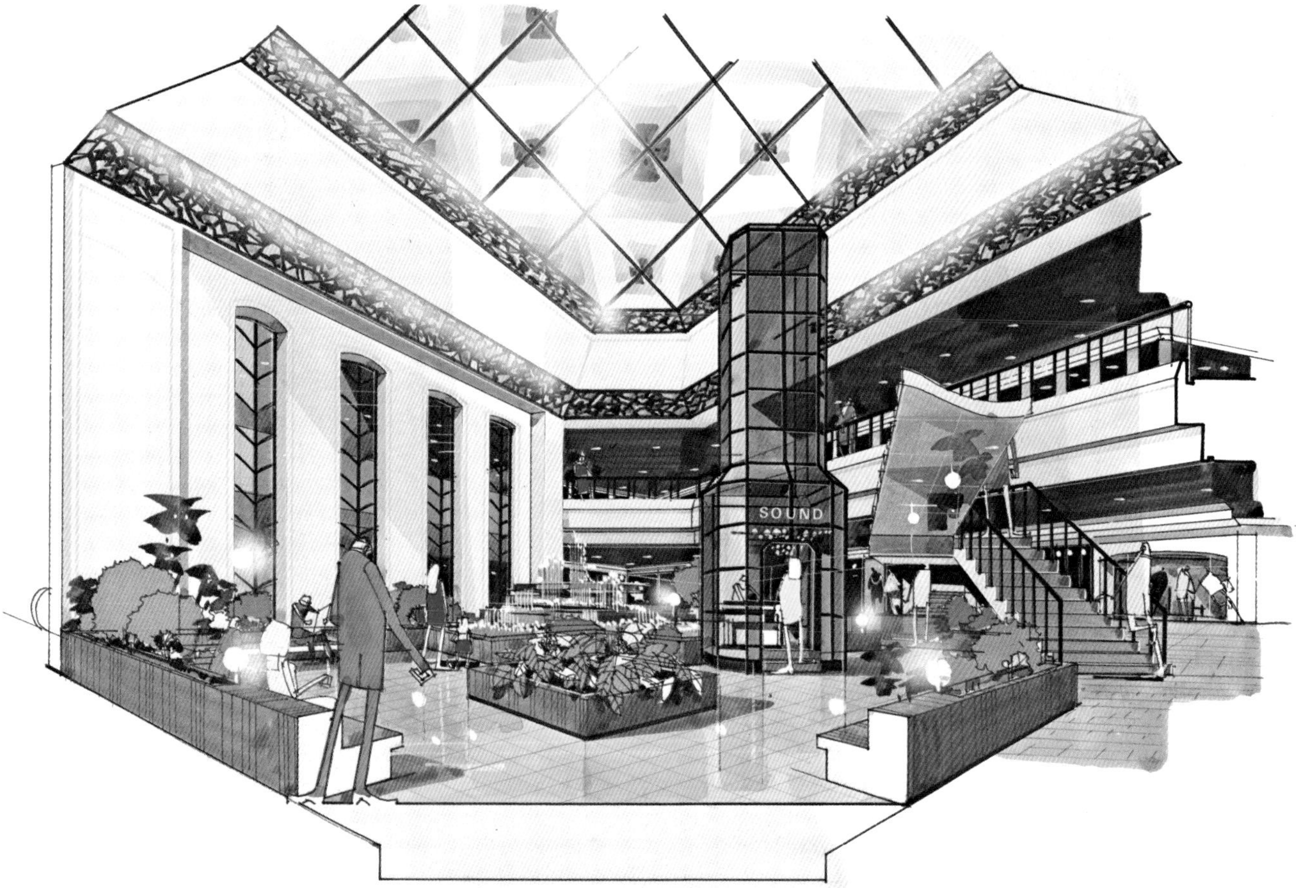
SOUND

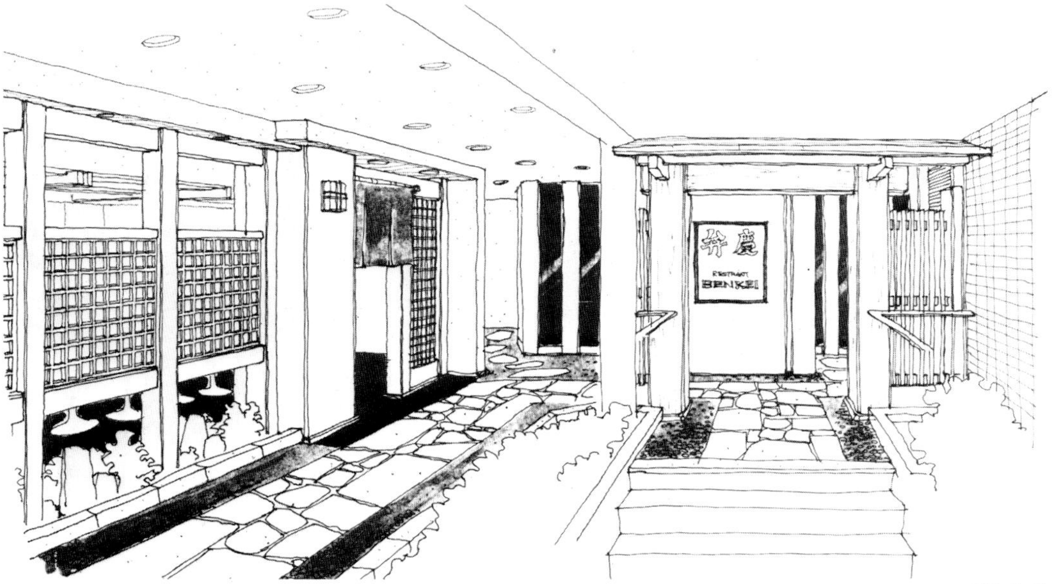


すし入口

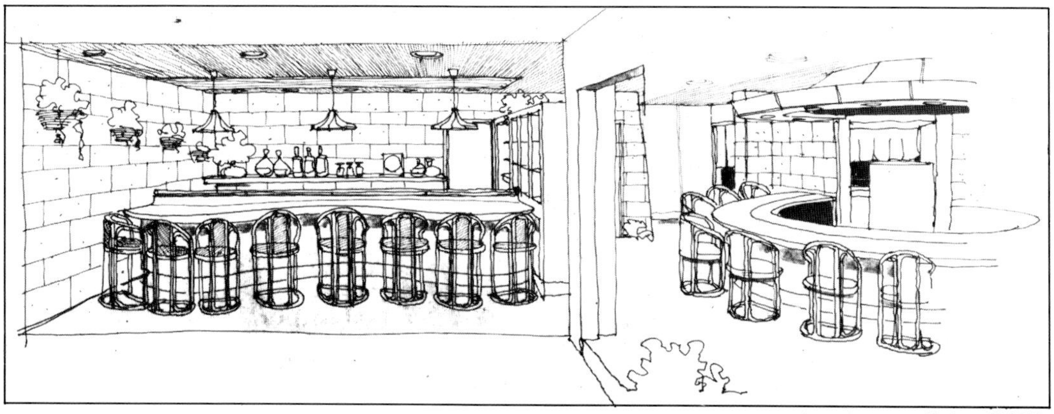

ウエイティングバー、鉄板焼

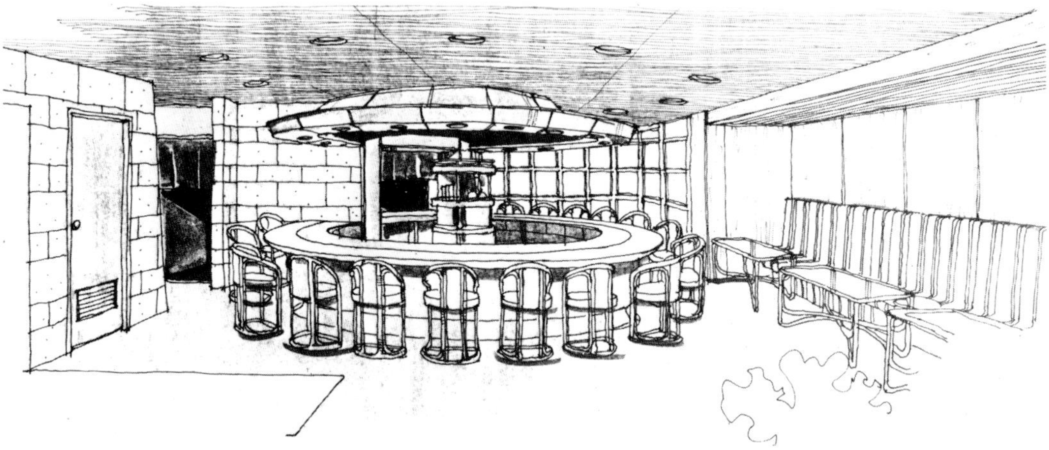

鉄板焼

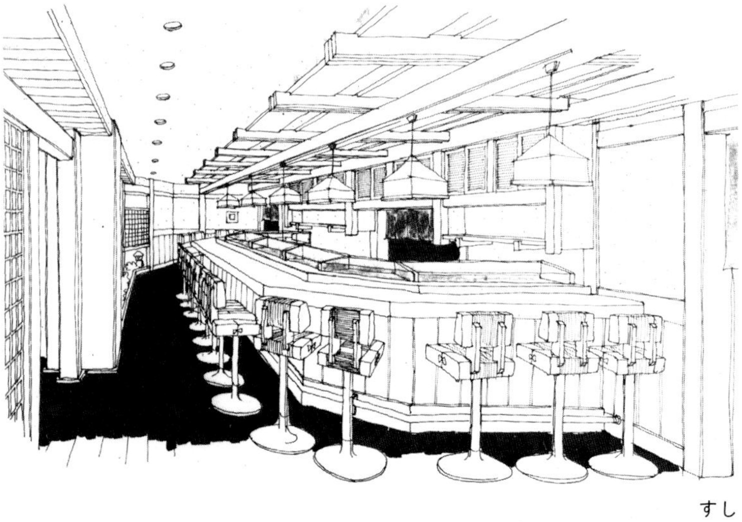

すし

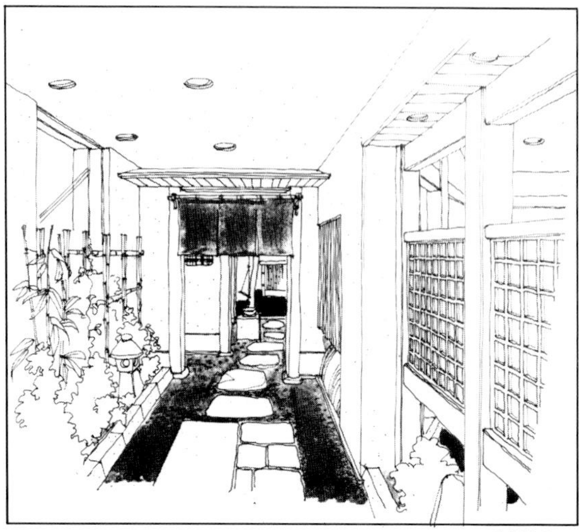

割烹入口

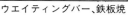

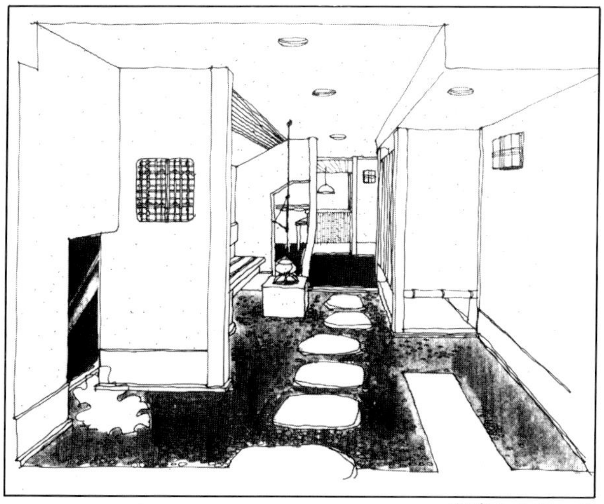

割烹入口ホール

テーブル席より奥

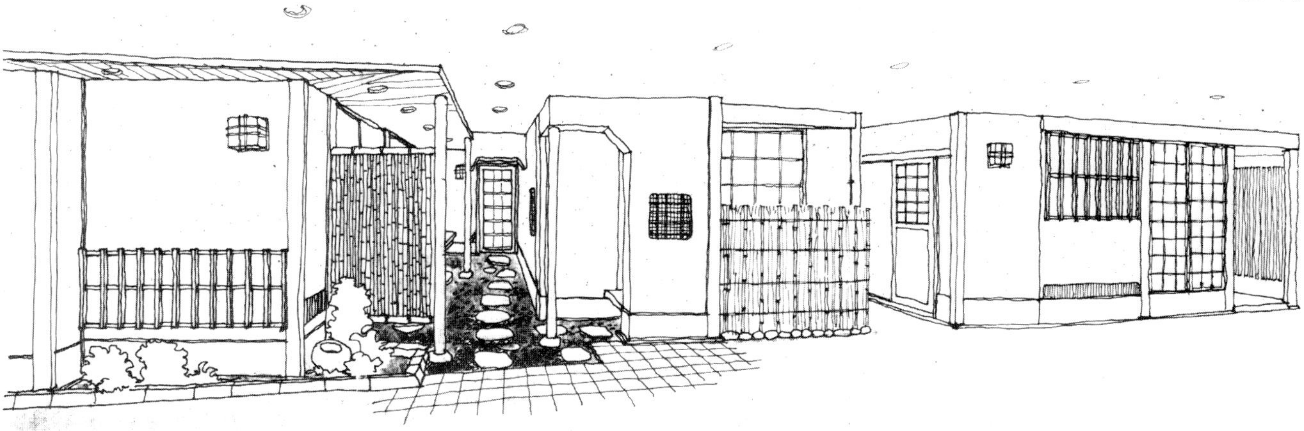

割烹（VIPルーム、トイレへの通路）

VIPルーム

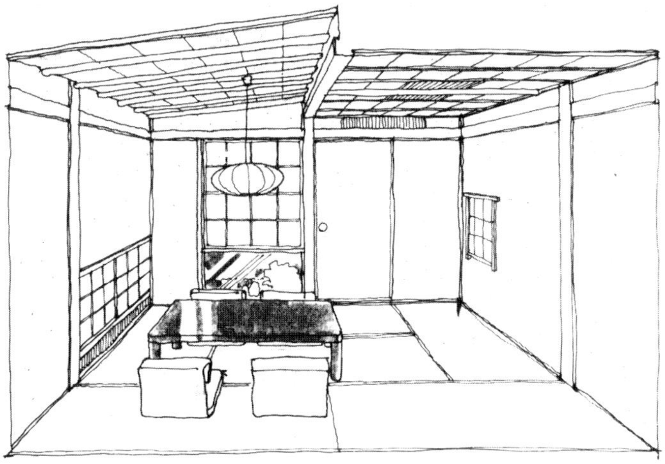

6帖A

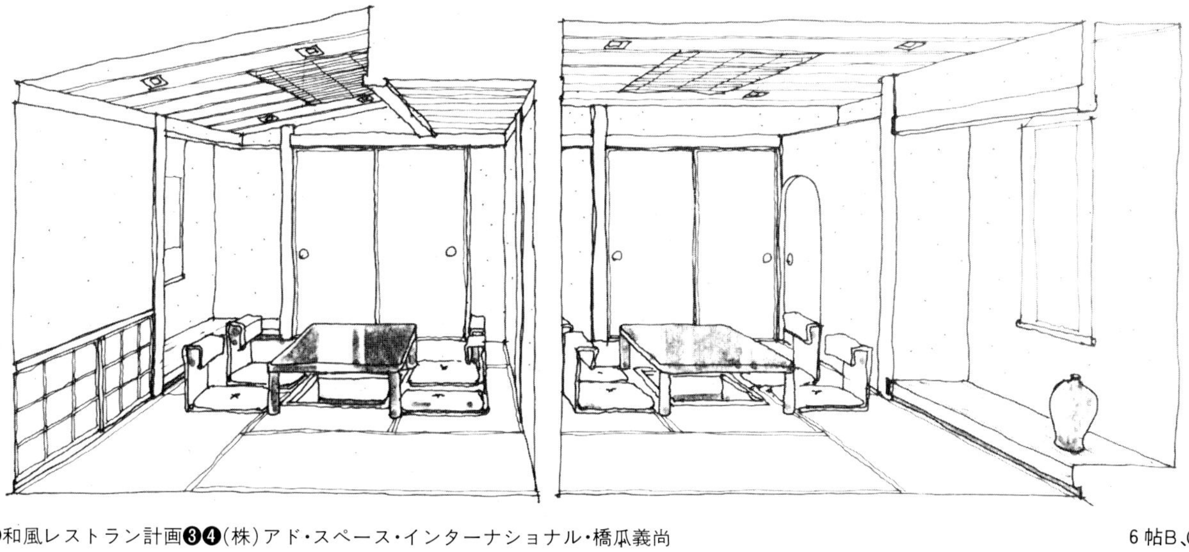

❶和風レストラン計画❸❹（株）アド・スペース・インターナショナル・橋瓜義尚

6帖B、C

※❶あじびる北❷大阪·北❸❹大菅建築デザインルーム·大菅満義

※❶あじびる三の宮❷三の宮❸❹大菅建築デザインルーム·大菅満義

❶青森グランドホテル宴会場❷青森❸汎インテリア設計事務所❹ヒューマンファクター・門脇信夫

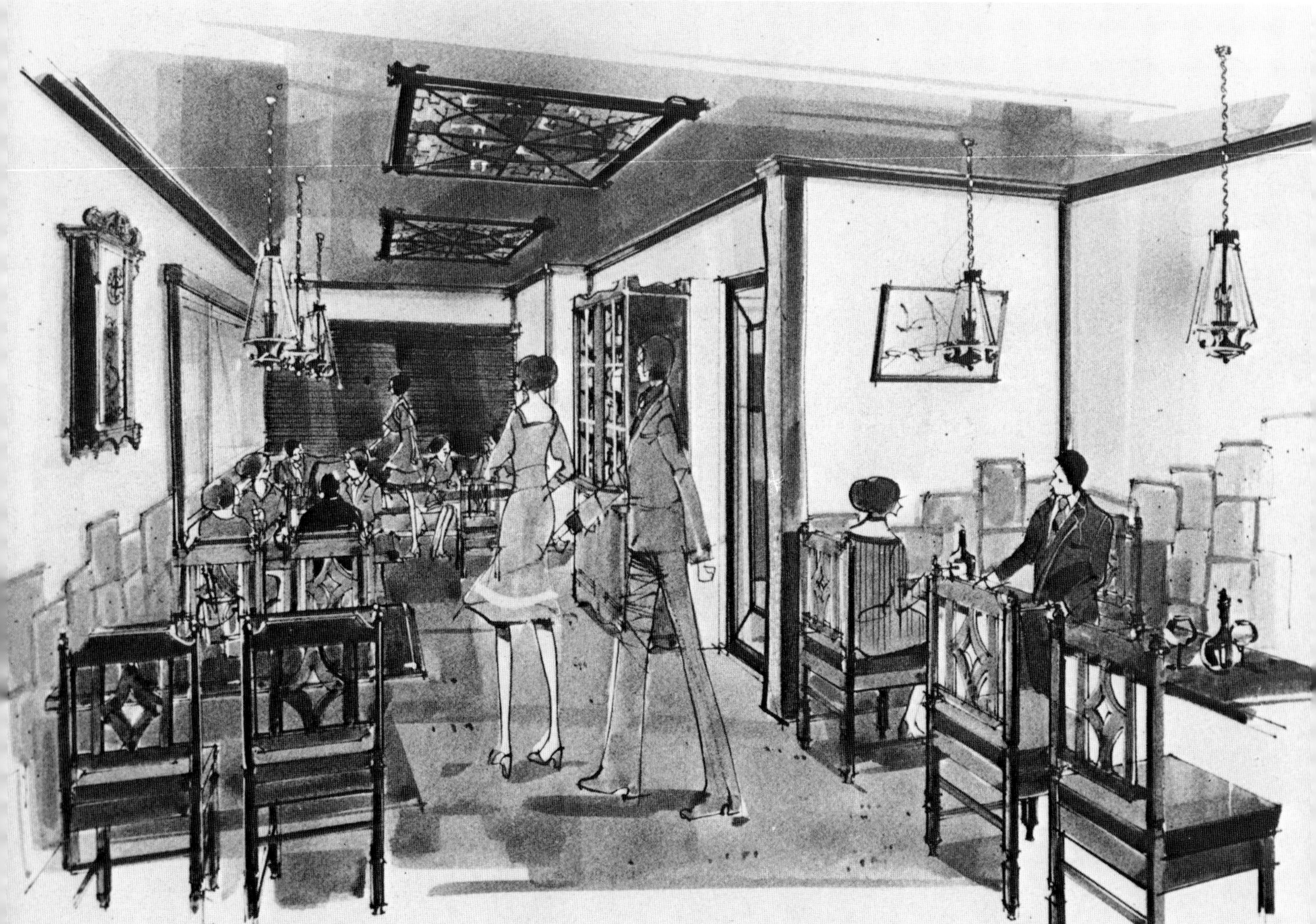

❶某レストラン❷逗子❸(株)丹青社❹古沢京子

※❶車屋フォーレ原宿店❷東京・原宿❸❹(株)田中建築設計事務所・田中四朗

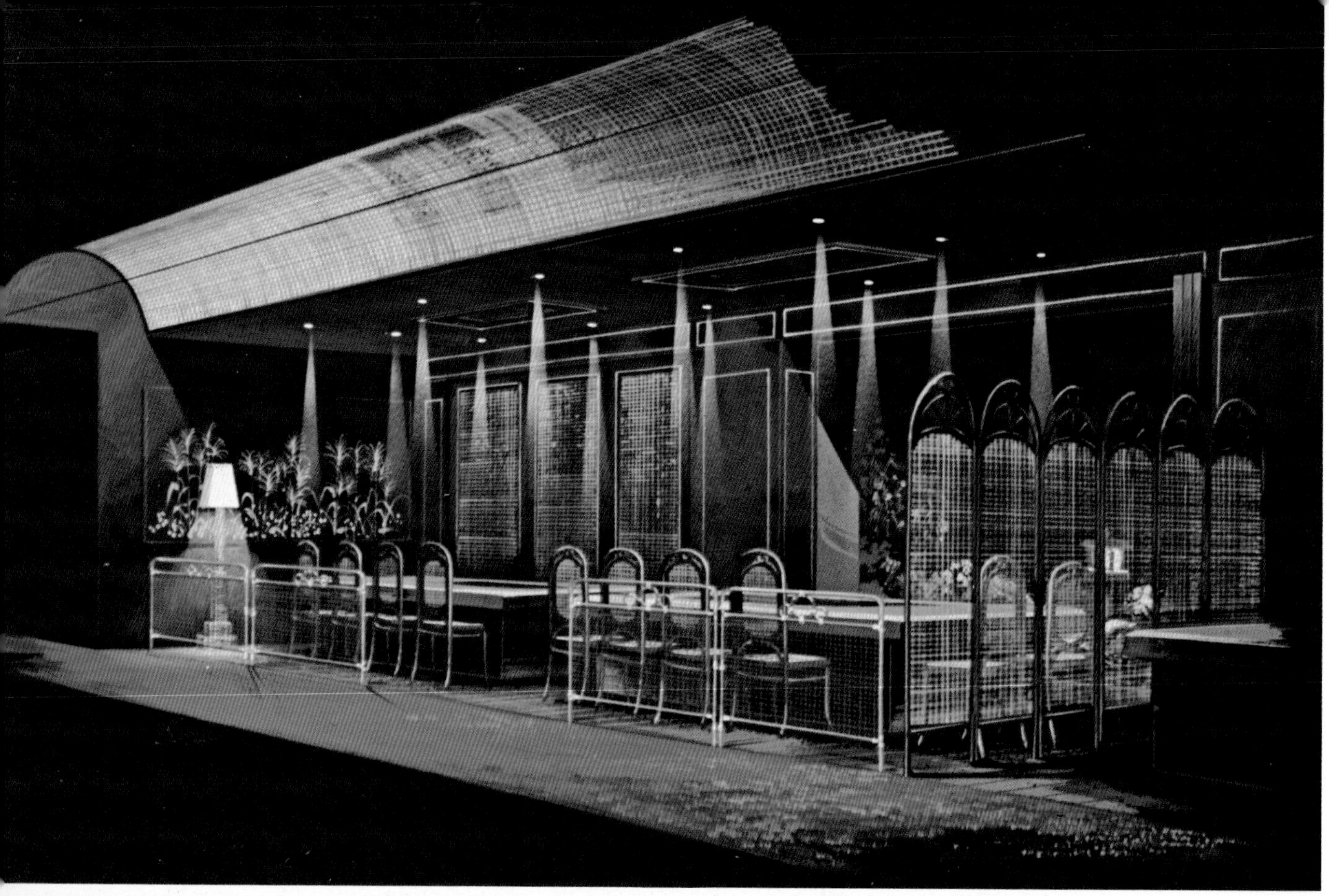

❶レストラン「ニューハマ」❷ジャカルタ❸協立建築設計事務所❹同デザイン室

❶キャバレー「新世紀」❷北九州市❸生美術建築デザイン研究所❹レンダリングRIYA

❶キャバレー「レディタウン」❷仙台市❸生美術建築デザイン研究所❹レンダリングRIYA

※❶喫茶JOY❷調布市❸タクトデザインスタジオ・中沢常夫❹同・小菅寿彦

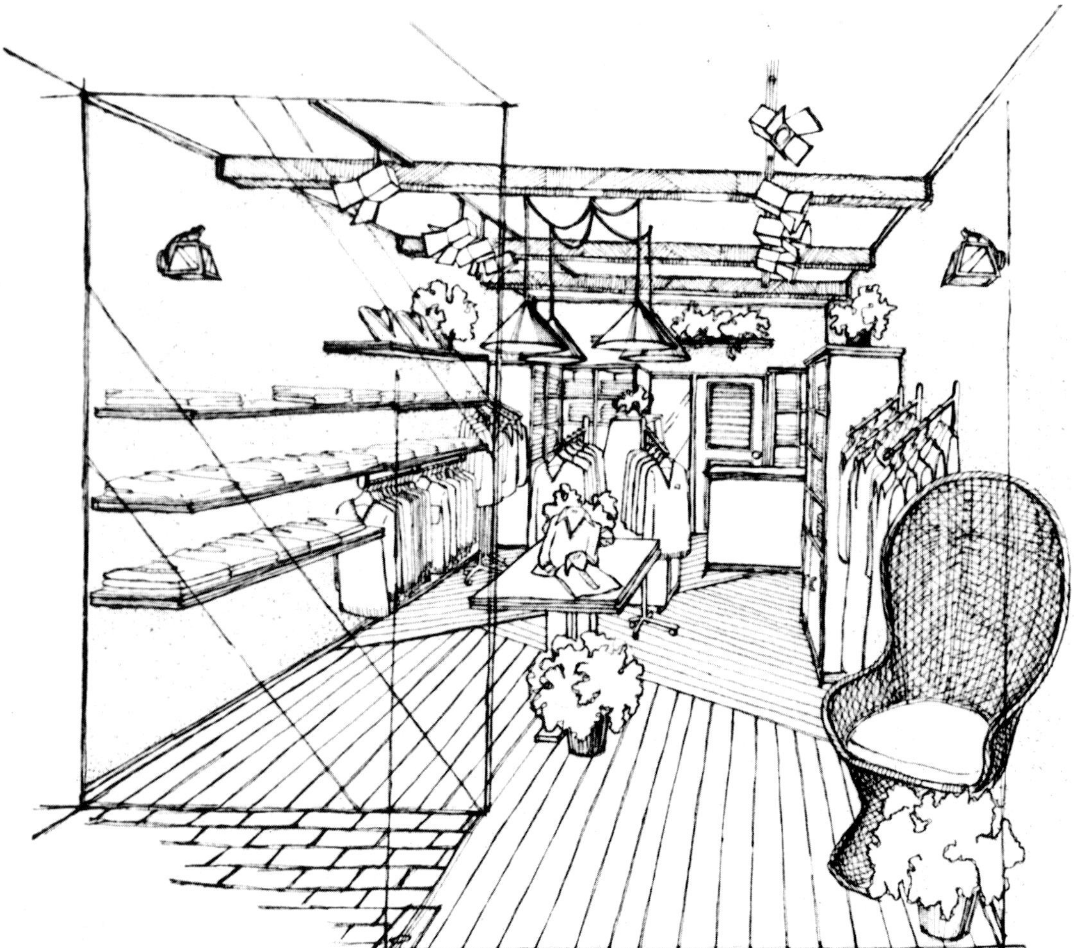

❶ファッションショップ「エル」❷東京・板橋❸❹タクトデザインスタジオ・中沢常夫

※❶ドライブインレストラン「ピタゴラス」❷秋川市❸❹中村インテリア 設計事務所・中村公彦

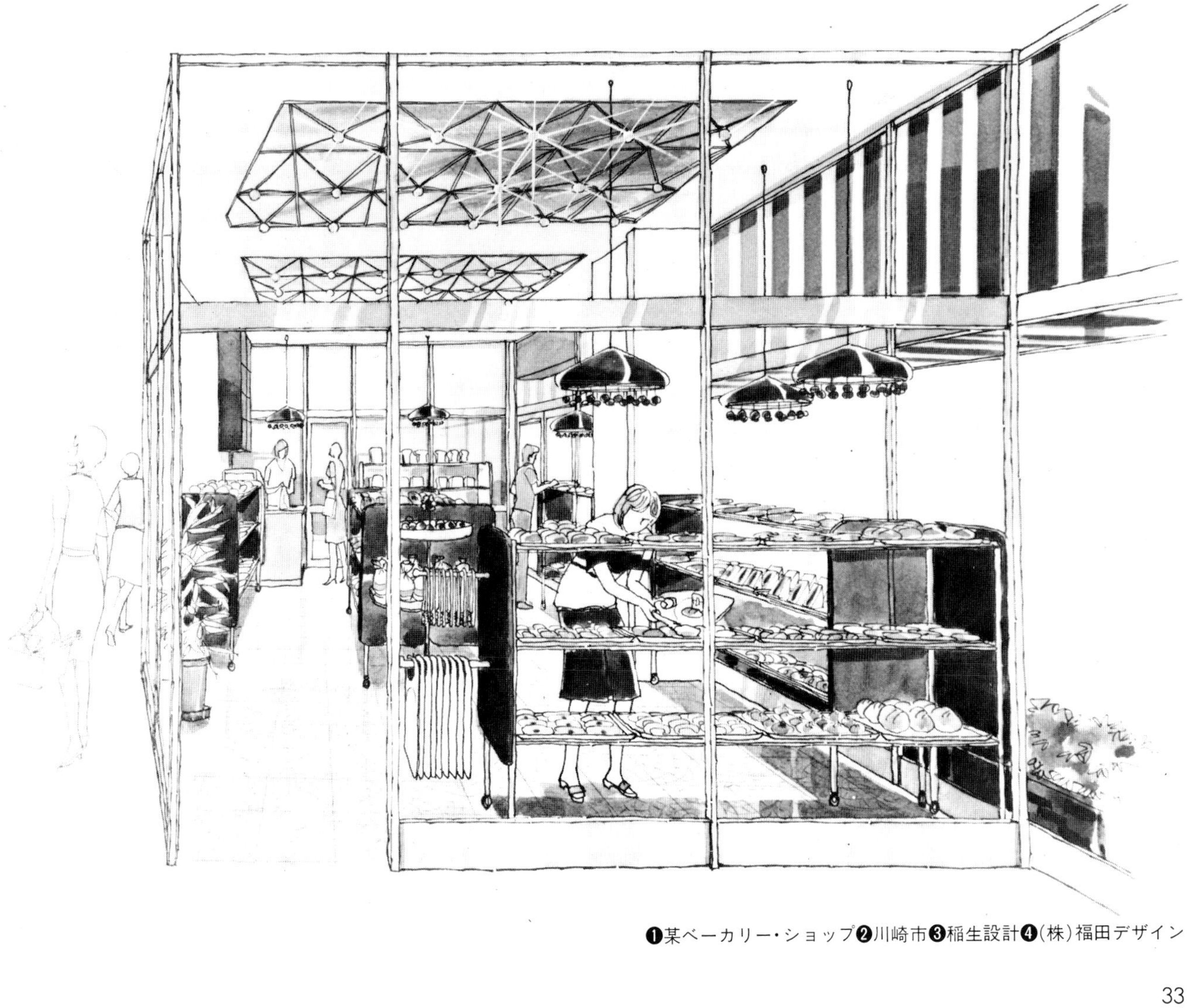

❶某ベーカリー・ショップ❷川崎市❸稲生設計❹(株)福田デザイン

❶レストラン「S」❸IDデザインルーム❹ドーン工房·深沢千賀子

❶某喫茶店❸(株)丹青社❹ドーン工房·深沢千賀子

❶和食「B」❷名古屋市❸❹フジデザインルーム・藤井道雄

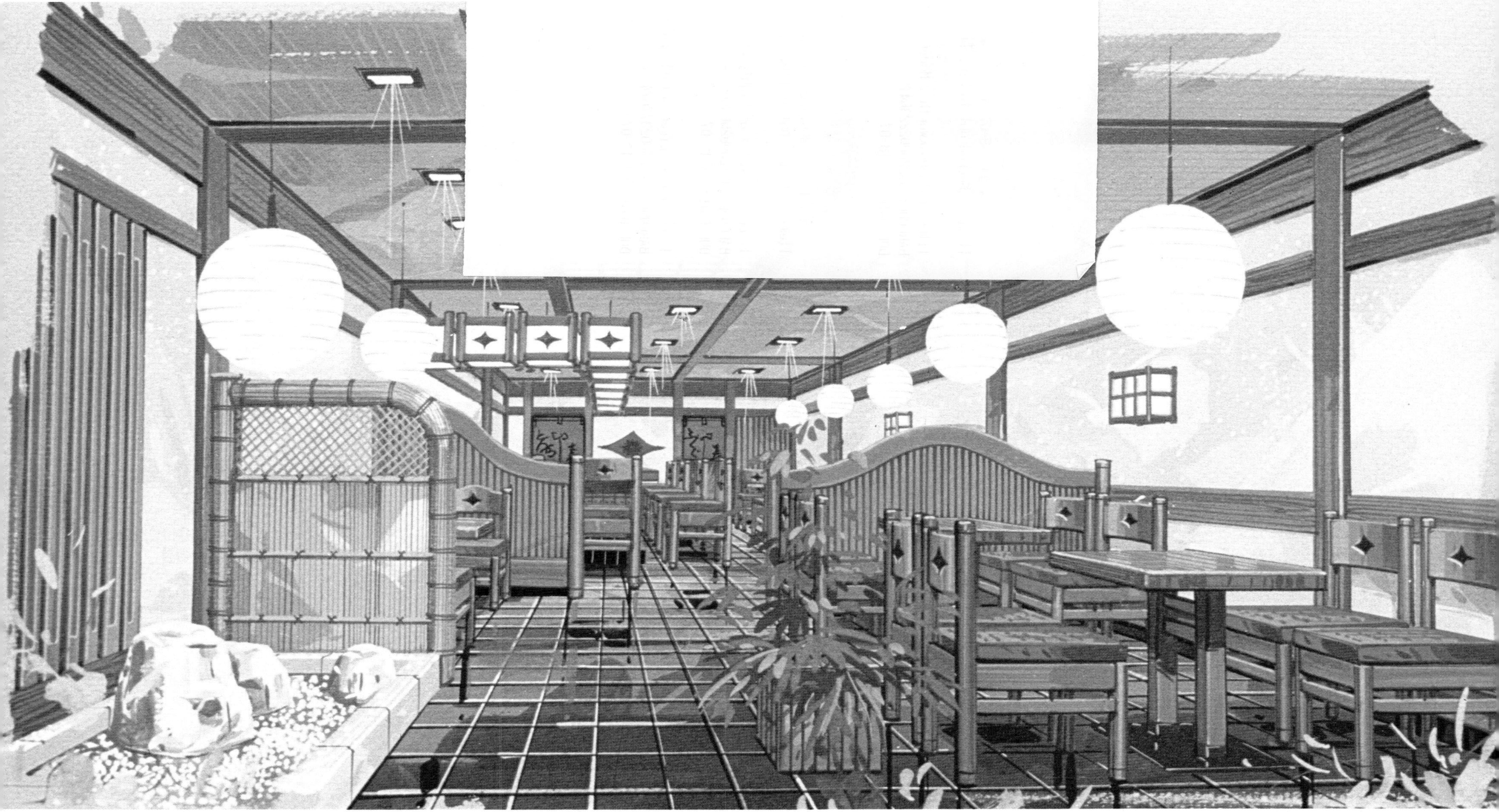

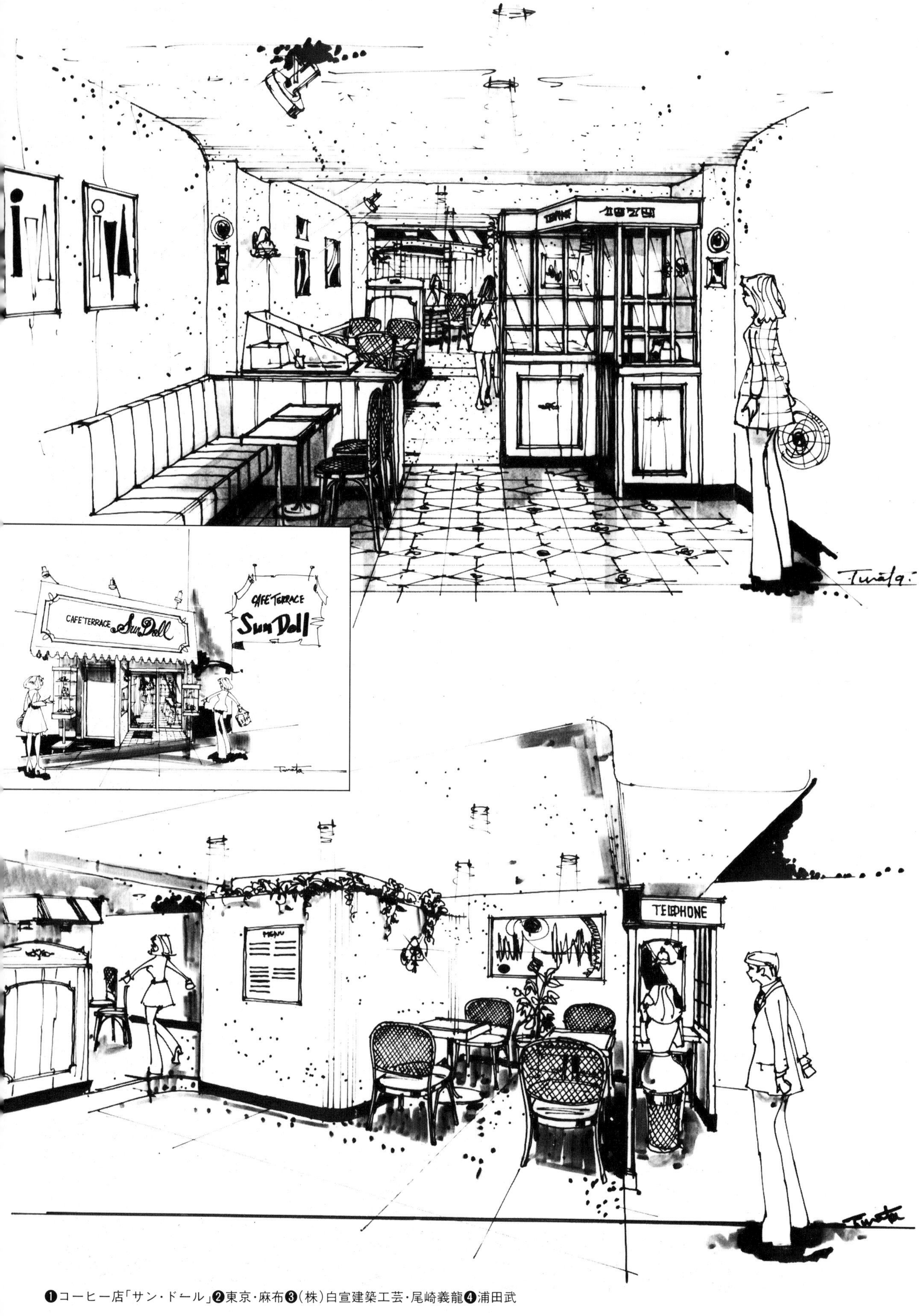


❶コーヒー店「サン・ドール」❷東京・麻布❸(株)白宣建築工芸・尾崎義龍❹浦田武

❶パレスホテル内パブ❷東京・大手町❸❹(株)竹中工務店

❶ホテル紅葉館内レストラン❷岩手・花巻❸❹(株)竹中工務店

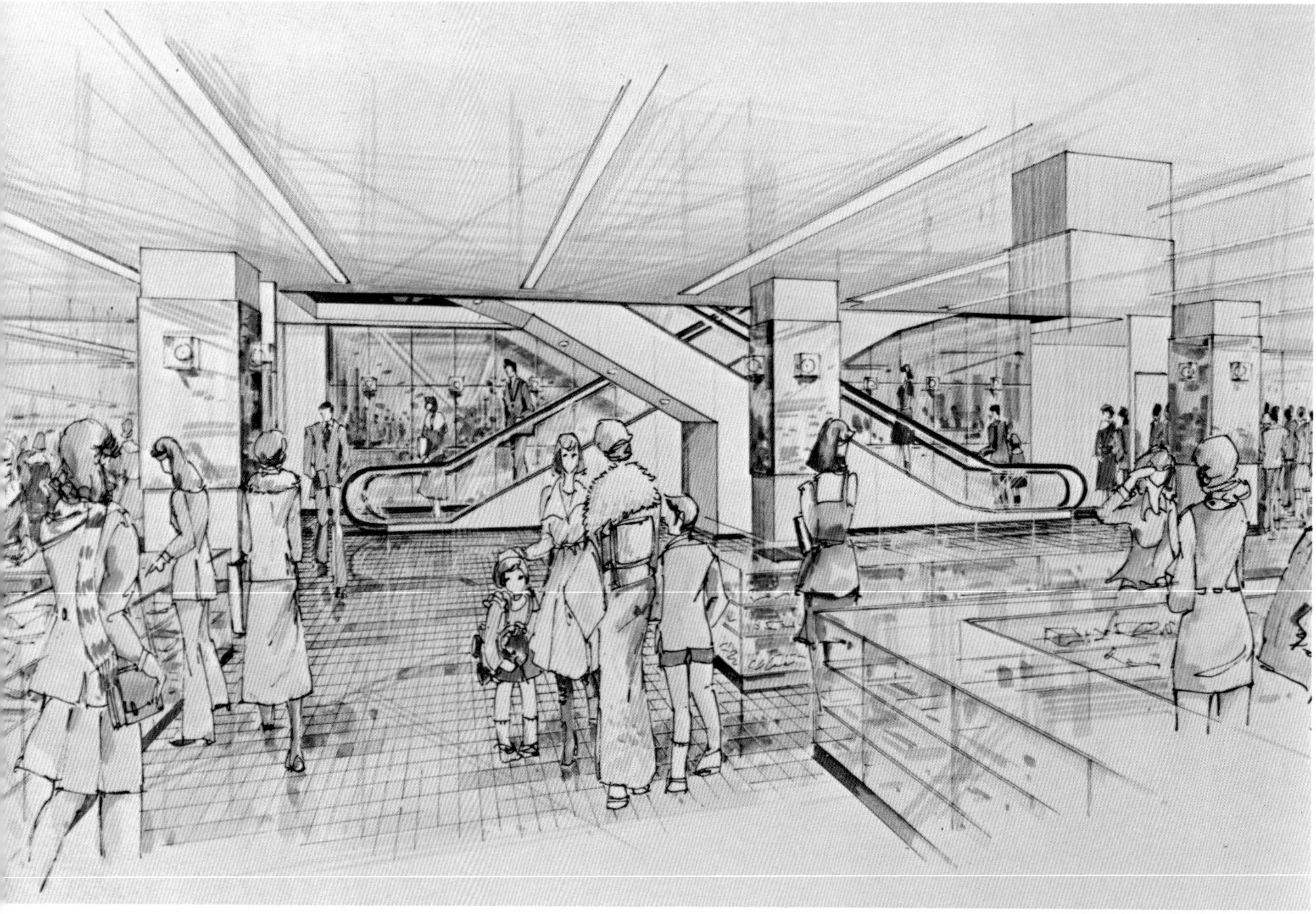

❶某デパート・エレベーターまわり❸(株)日建設計(大阪)・芳谷勝瀬❹スタジオ・ウルフ・松村範也

❶「ハゲ天」❷東京・銀座❸❹(株)スペースデザイン一級建築士事務所・武石馨

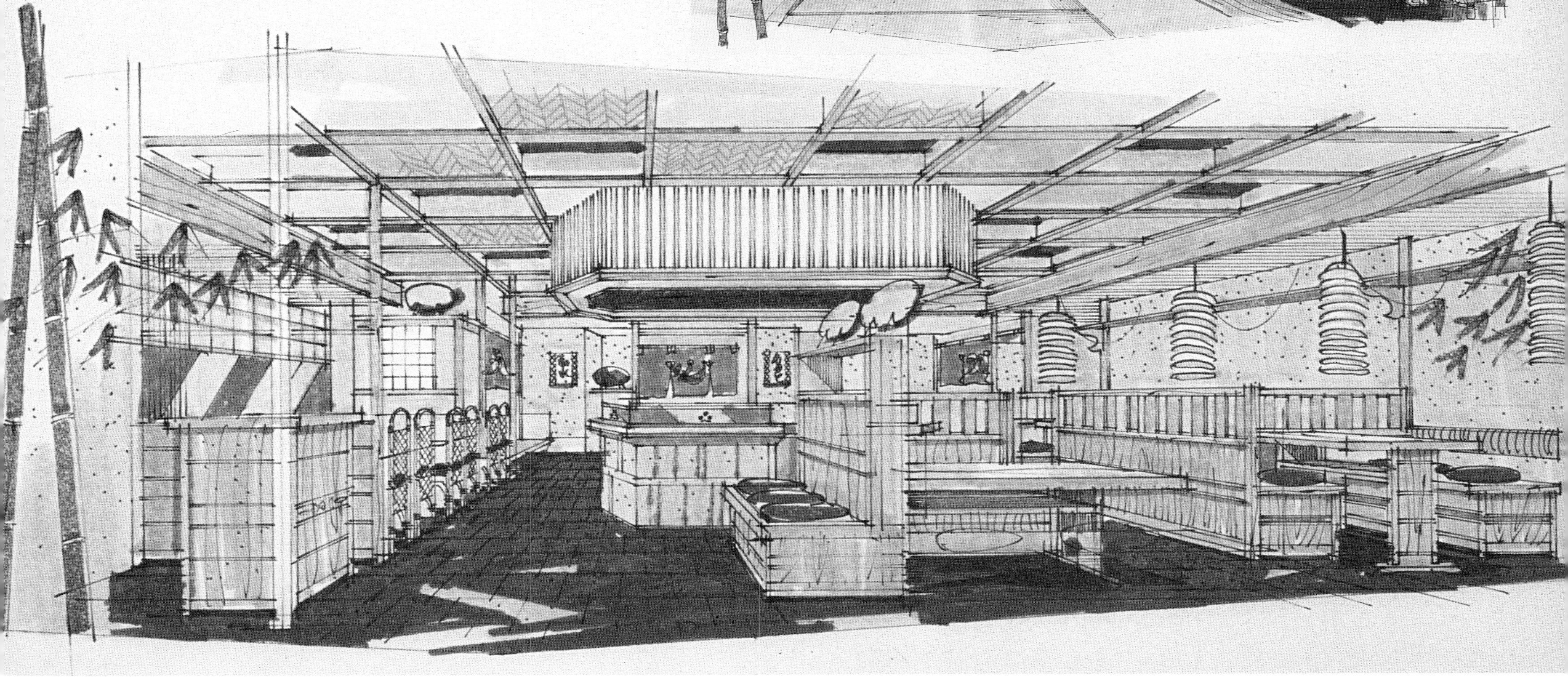

# デザインにおけるパースの役割

大熊俊隆

新しい計画を実現するために、多くのデザインの創造手段を駆使して、よりすぐれた計画を具体化してゆくプロセスにおいて、伝達機能としてのパースの役割は大きい。

計画、構想、基本設計、実施設計、どの段階においてもデザインのもつ具体性を再現し確認するためにパースをつかうことはひとつの方法である。プランニングをすすめるうえで、そのデザインコンセプトをメモ、スケッチ、エスキースなどによりじゅうぶんに検討することにより、より確かなデザインの方向がうかびあがってくる。

デザイン作業の進行過程で、コンセプトとイメージをオーナーに対し提案し説得する段階が何回かある。デザインの各段階における姿をみずから確認し、伝達するためにパースは有効な手段となるが、それぞれの時期と利用領域にあわせてその有利な利用をはかっていく必要がある。

**デザインの過程におけるパースの活用**

**ステップ1** デザインコンセプトを決定し、その空間イメージを伝達する役割り

**ステップ2** デザインのプロセスを伝達する役割り

**ステップ3** デザインのフィニッシュを伝達する役割り

**ステップ4** パブリシティ効果を目的として完成時の機能をアピールする役割り

ステップ1は、構想の段階であり、デザインのコンセプトを決定するために計画条件にもとづく空間イメージを、大きく基本的にとらえ、スケッチなどの簡便な手法で再現する。この段階では、細部のディティールは、決定されていないが、

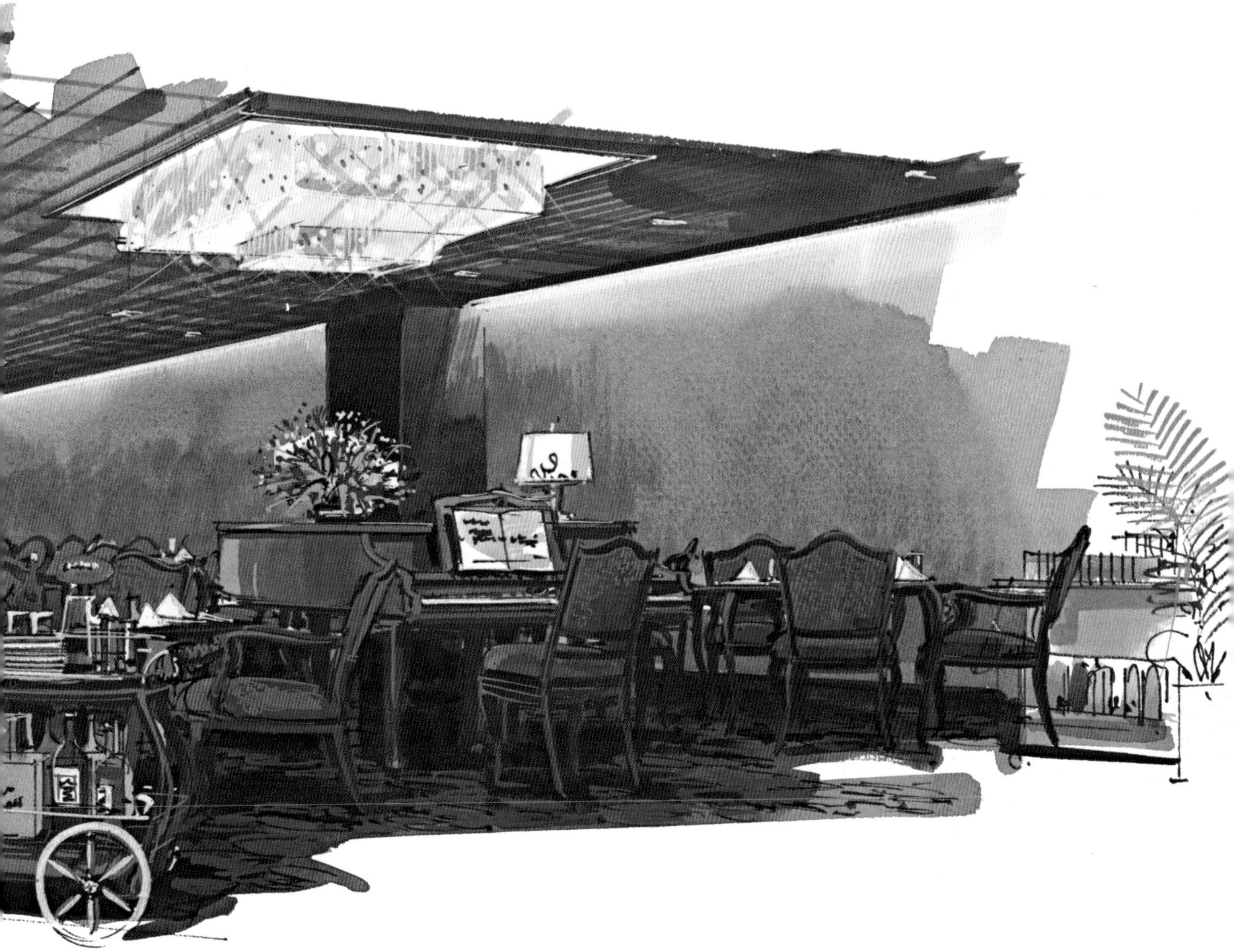

❶西武百貨店内高級レストラン「ビストロ・ド・パリ」❷船橋市❸❹(株)乃村工芸社商業施設開発事業部

素材、照明などの各領域への展開が可能なベーシックなモチーフを決めておく必要がある。

ステップ2は、基本設計のスタート段階であり、建築的条件、経済的条件を反映しながら構想を空間構成として展開する段階である。

またこの段階は、建築条件との調整の時期にあたる。何回かの重要な段階があり、各部分のディティールが検討され、素材、カラーリング、照明、設備など、コンセプトを深めながらデザインを具体化する。設計条件にあった可能なパターンを検討する作業レベルにおける重要なステップである。

ステップ3は、基本設計フィニッシュの段階である。建築、デザインともに統一されたラインにおいて、ディティール、素材、照明、色彩など、作業のフィニッシュであり、計画スケールを正確に伝達できる ものとして描かれる。

ステップ4は、パンフレットなど広告媒体に利用する段階で、その施設空間が生き生きと活動している様子を再現し、そのメリットをアピールするものでなければならない。どんな特性をアピールするかによってパースのタッチが変化する。空間を描くのみでなく、生活のフイーリングを描くテクニックが必要とされる。

デザイン作業における、確認と伝達の手法としてパースは、以上4つのステップにおいて各領域の要求に的確に対応したものとして作成し利用されなければならない。パースはそれ自体、デザインであり設計であるが、また一方では、その手段としての明確な役割りをもっている。表現力は大切であるが単なる表現にとどまらず、つねにデザインの思想と設計のベーシックな構成を確実につたえるものであることをめざしたい。

〈㈱乃村工藝社商業施設開発事業部部長〉

❶西武百貨店内高級レストラン「ビストロ・ド・パリ」❷船橋市❸❹(株)乃村工芸社商業施設開発事業部

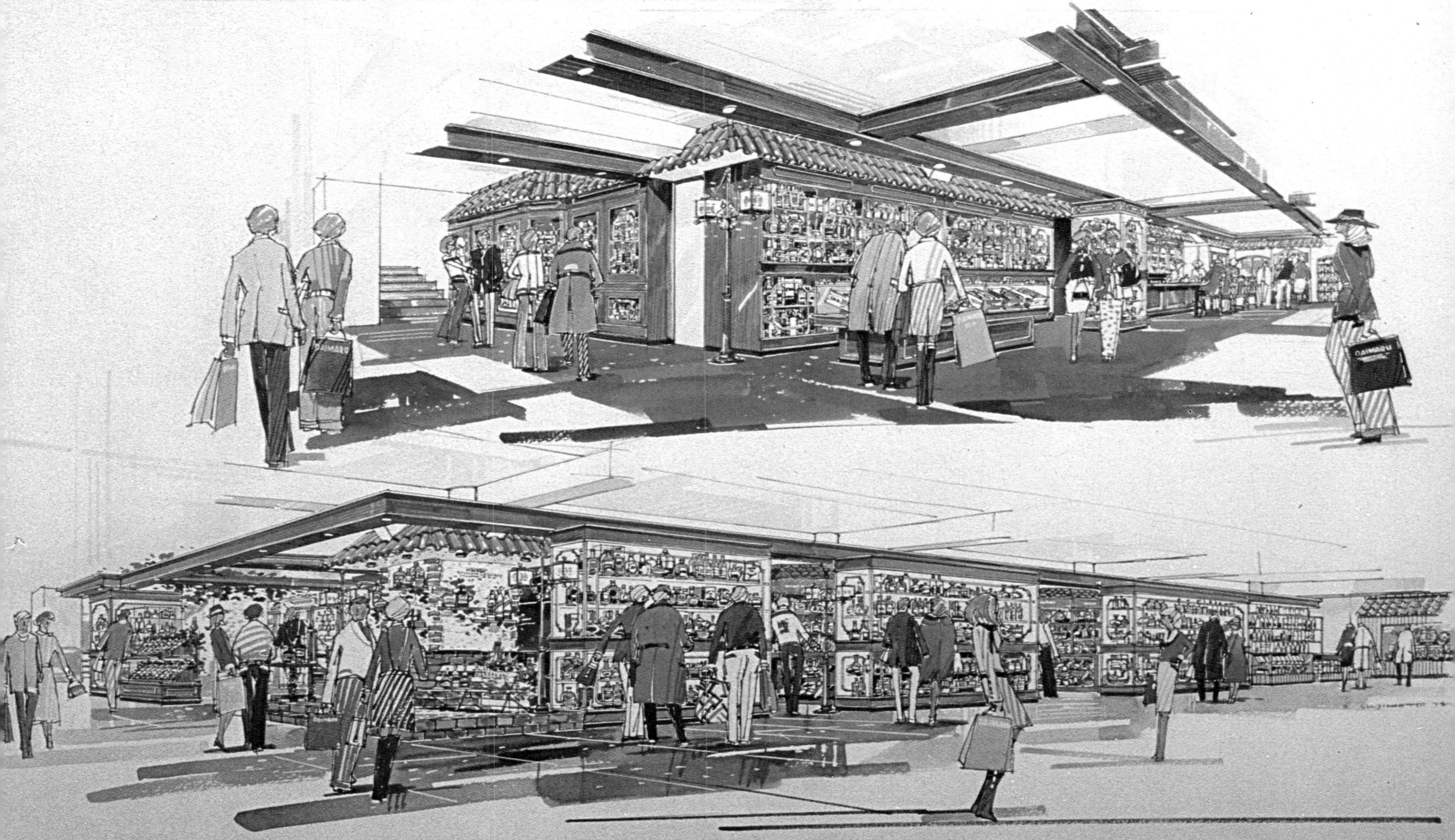

❶百貨店売場計画❷大阪市❸(株)ケンソー❹(株)辻本デザイン事務所・岩瀬伸一・長尾光芳

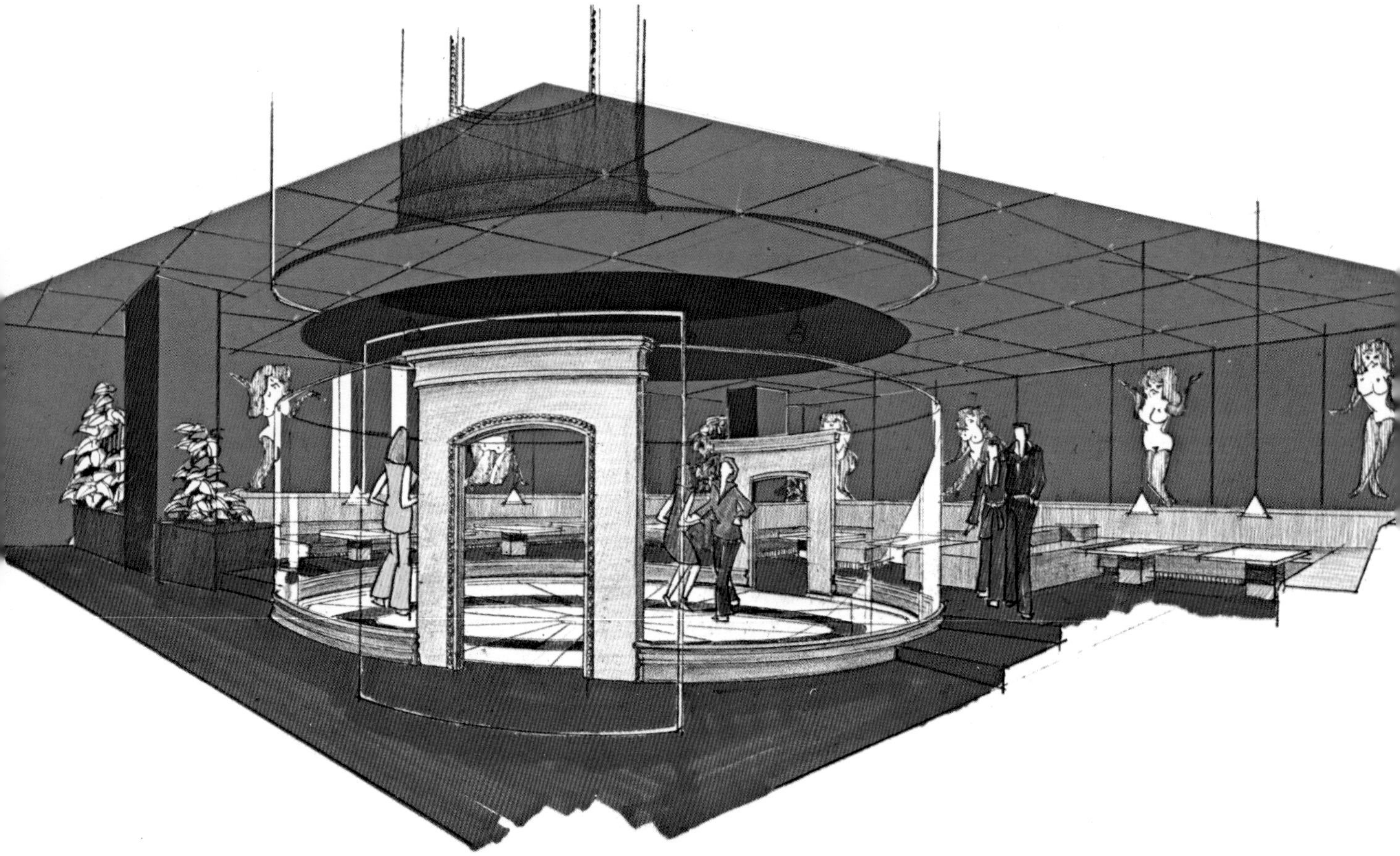

❶ザ・プレイボーイクラブ・オブ・ナゴヤ（第一案）❷名古屋・千種区❸❹（株）森京介建築事務所（右頁は実施案）

❶蔵王コンドテル(現ホテルオータニ)❷山形・蔵王❸(株)フジタ工業❹松鷹一海

❶「オカダヤ」ハワイ店❷ハワイ・ホノルル❸竹内スタジオ・竹内欽吾❹麻野捷年

❶新宿ミラノボウル地下・スコッチパブ「ミラノ」❷東京・新宿❸(株)東急建設❹松鷹一海

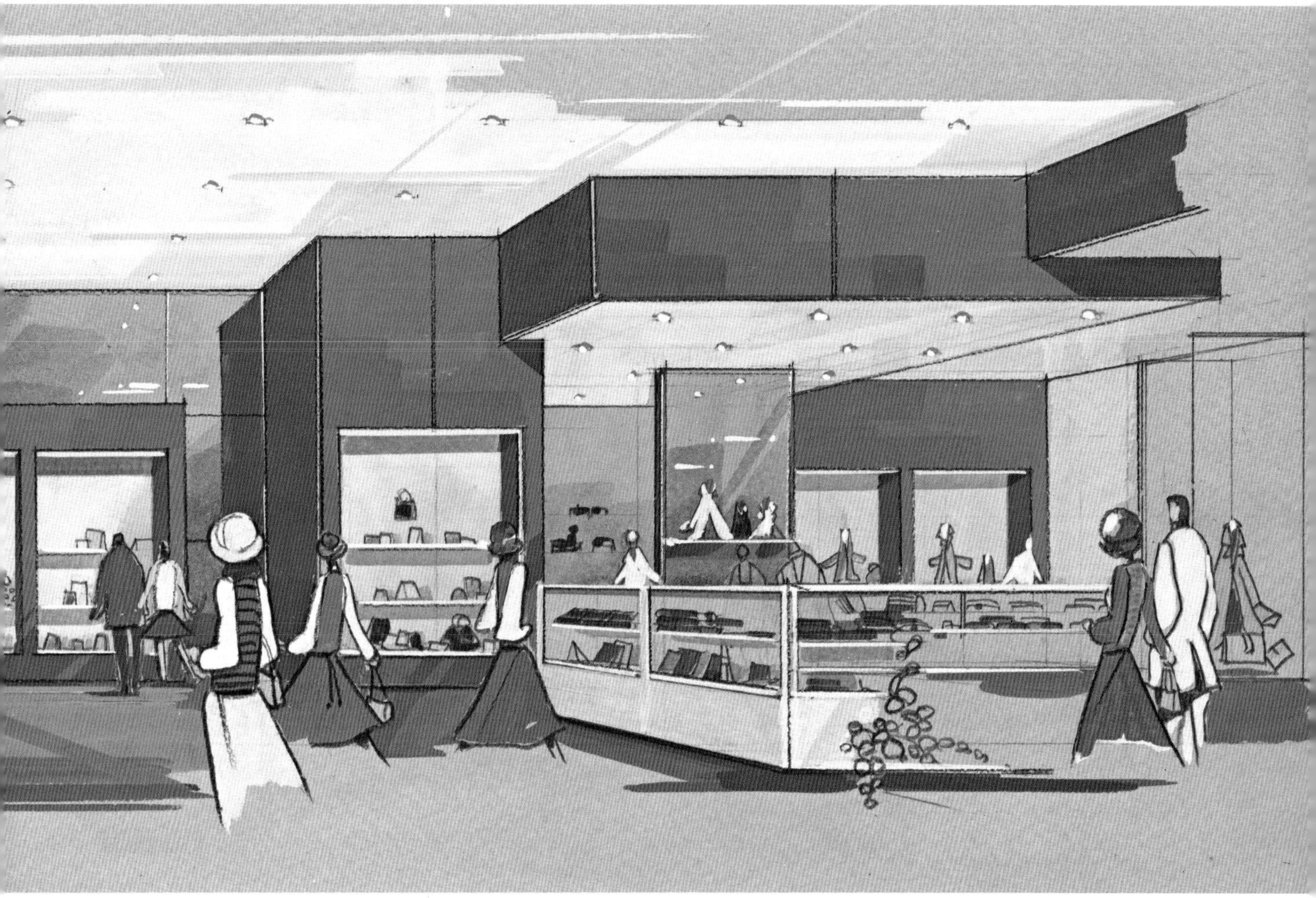

❶コーヒーショップ「デリア」❷東京・西新井❸(株)白宣建築工芸・木村和政❹浦田武

❶コーヒー店「ゴンドラ」❷東京・練馬❸(株)白宣建築工芸・尾崎義龍❹浦田武

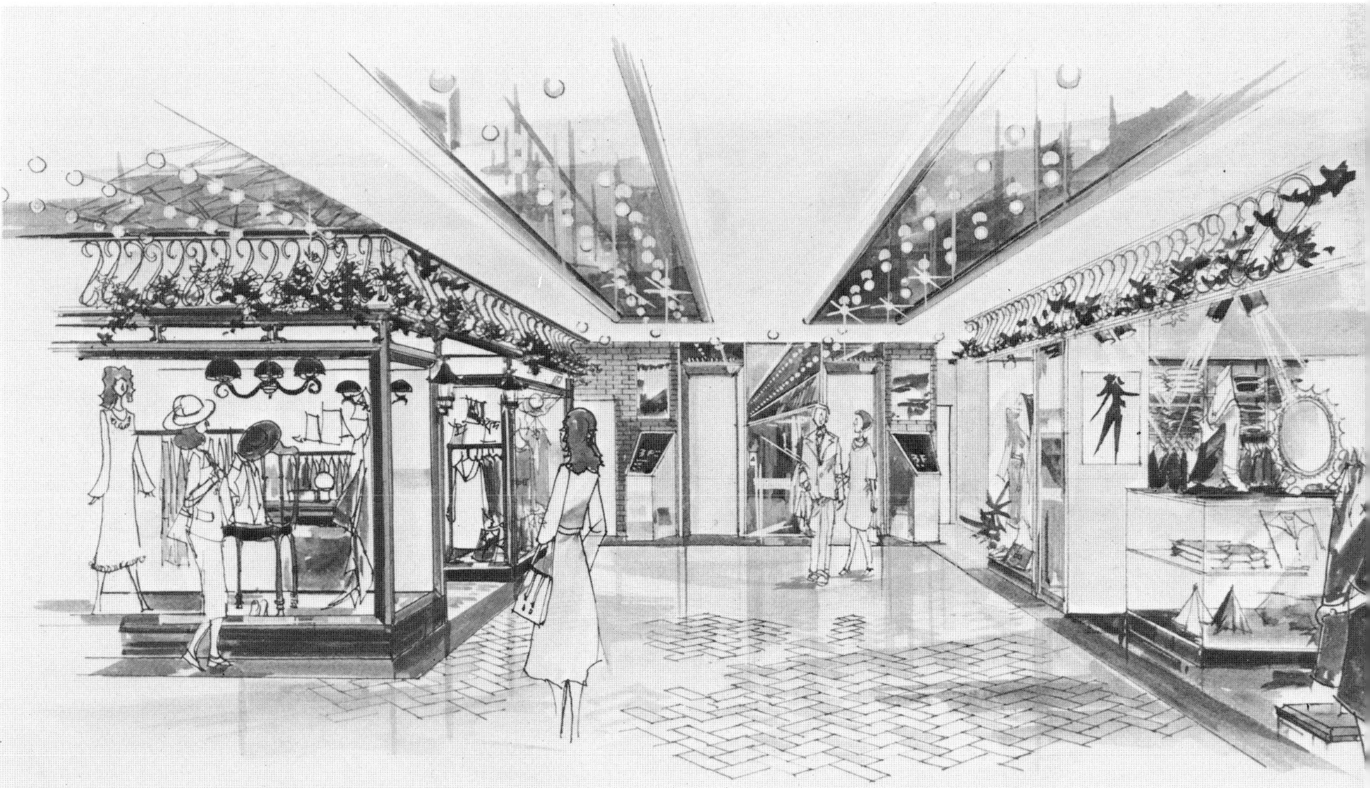

❶某ショッピングセンター❷松戸市❸日産建設(株)福田デザイン

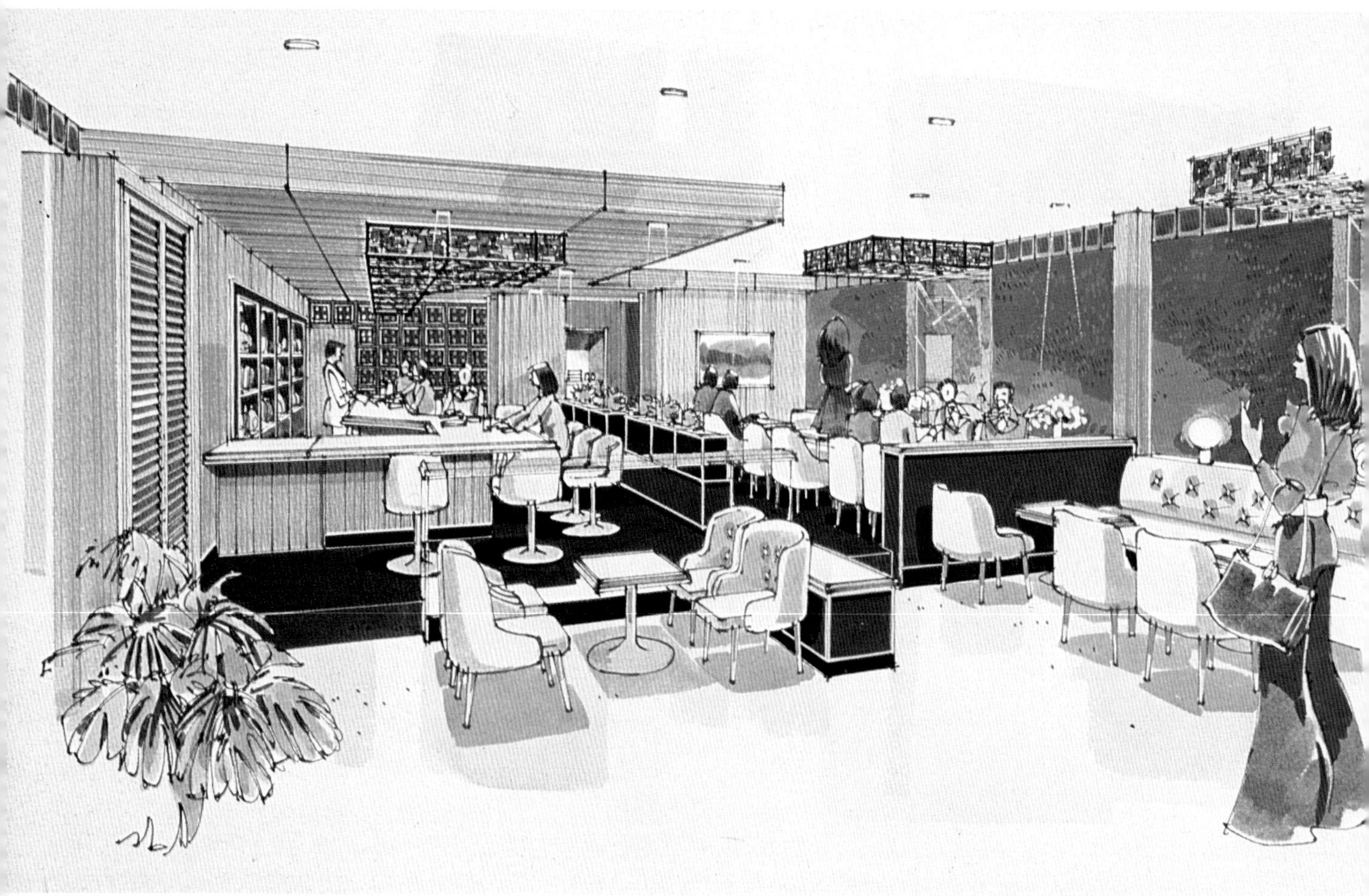

❶喫茶「B」❸アルテリア❹熊谷常男

❶カフェ・ド・ラペ❷横浜市❸サムシンク❹熊谷常男

❶月が瀬❷大阪❸沢井建築事務所❹レンダリング RIYA

❶ワインショップ「ITOH」❷柏市❸ニッテン設計事務所・福岡信義❹同・武塙彩子

❶バッグの店「FUJISAWA」❷下館市❸ニッテン設計事務所・高沢公夫❹同・武塙彩子

❶K酒店❷東京・足立❸ニッテン設計事務所・八百一喜❹同・武塙彩子

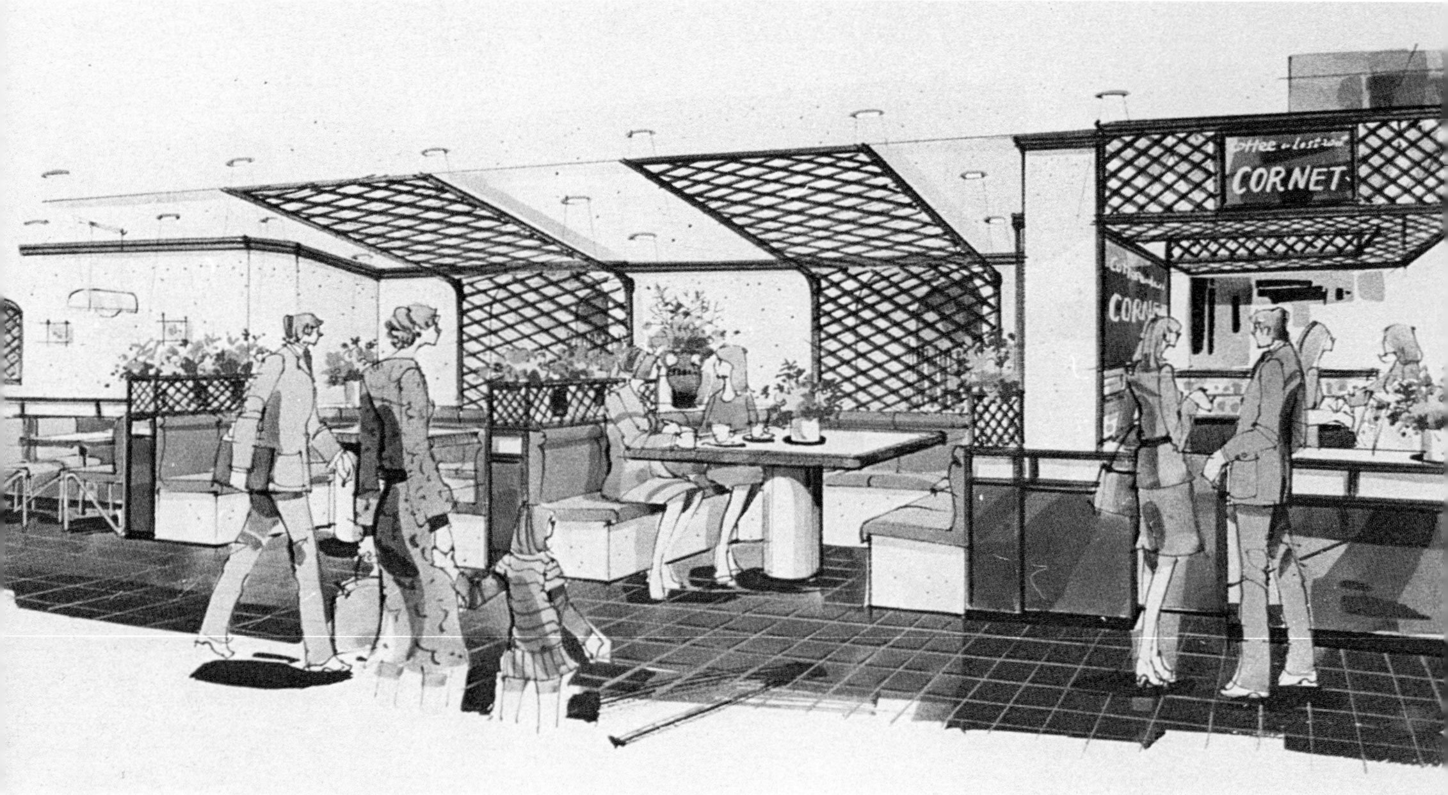


❶喫茶「コロネット」❸デザインオフィス・カーニバル❹ドーン工房・深沢千賀子

❶パブレストラン❸(株)サンアド❹ドーン工房・深沢千賀子

❶レストラン「栄太郎」❷名古屋市❸イノウエデザイン❹フジデザインルーム・藤井道雄

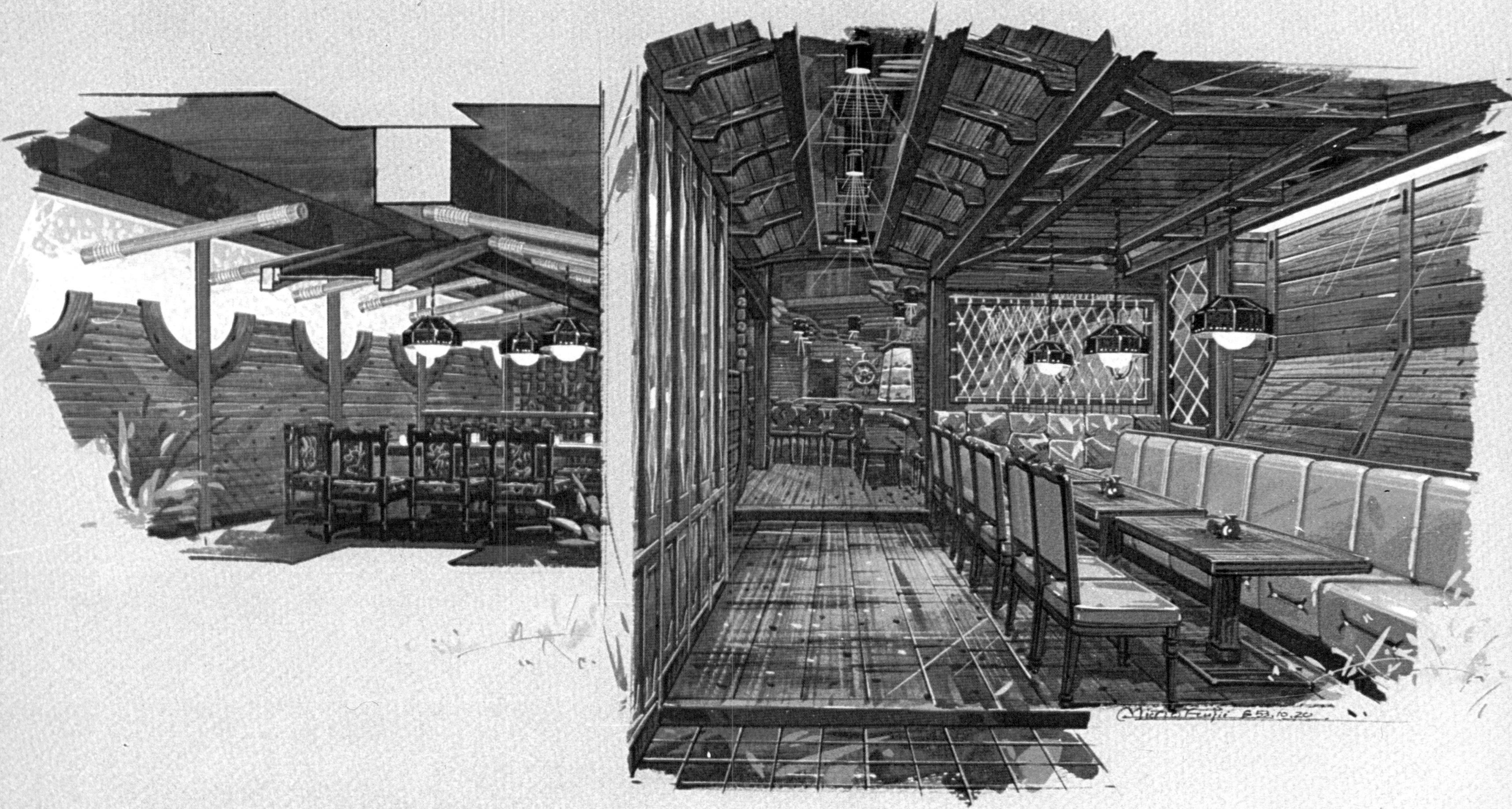

❶菓子店「青野」❷東京・赤坂❸❹小杉弘一建築設計事務所

❶そば処「北天庵」❷稚内市❸❹中村インテリア設計事務所・中村公彦

❶ホビーショップ❸(株)丹青社❹熊谷常男

❶パブ「チューダー」❷東京・銀座松坂屋❸❹(株)日展・佐々木勇

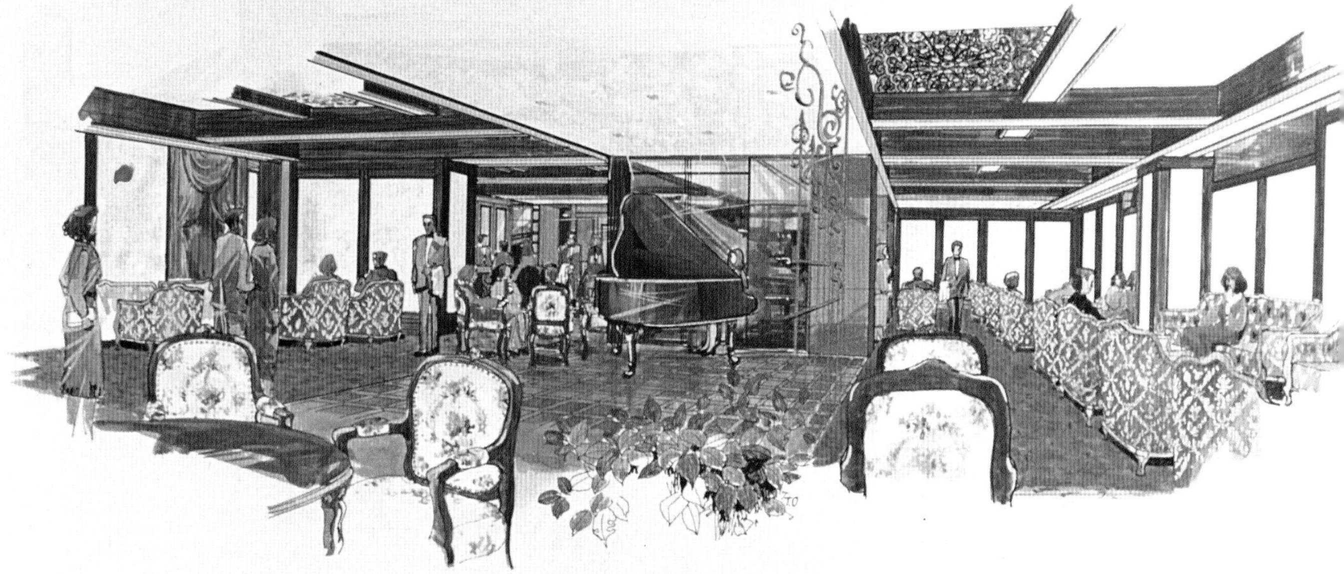

❶クラブ「フォンテブロー」❸杉坂建築設計事務所❹トミアトリエ・斉藤富子

❶ディスコ計画❸(株)エクスブレーンインダストリー❹山城スタジオ

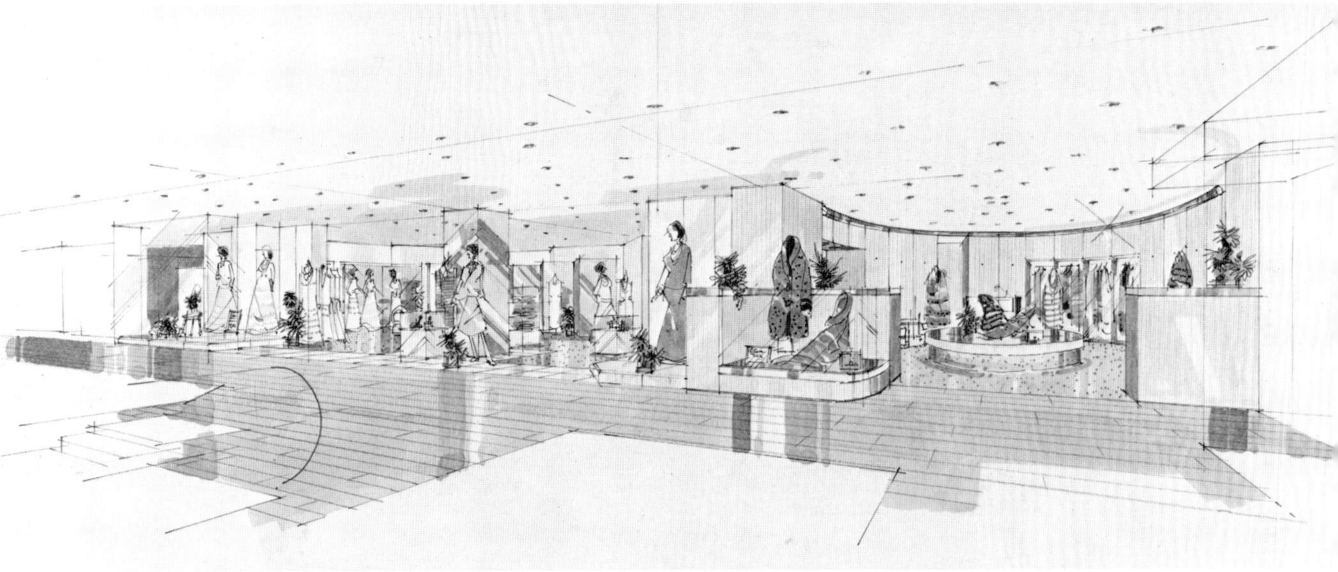

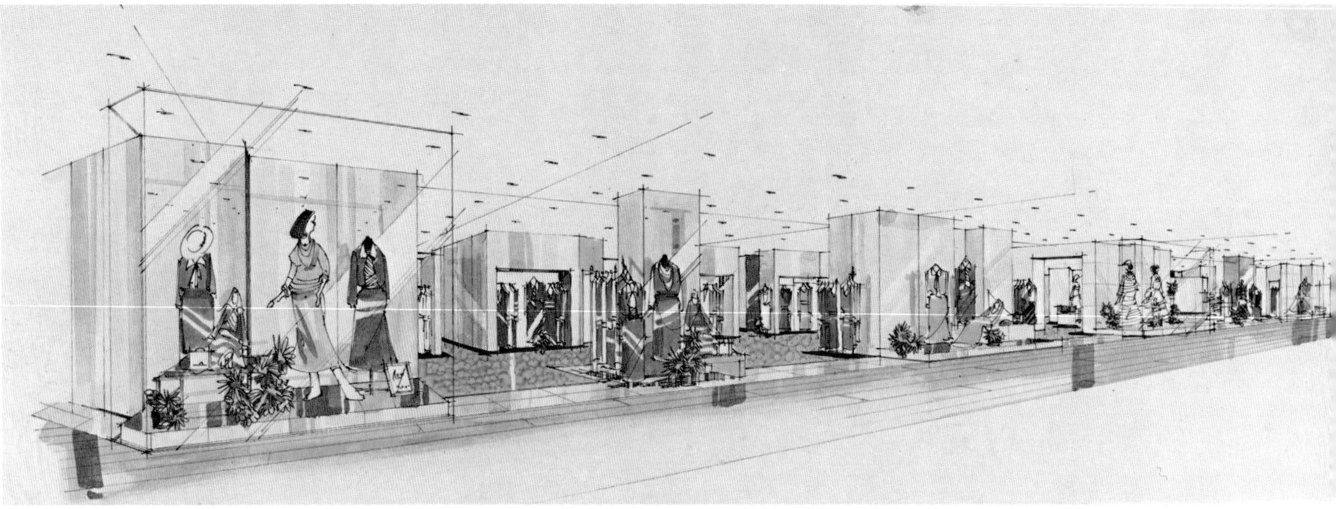

❶西武百貨店船橋店❷船橋市❸(株)アルス❹広田覚

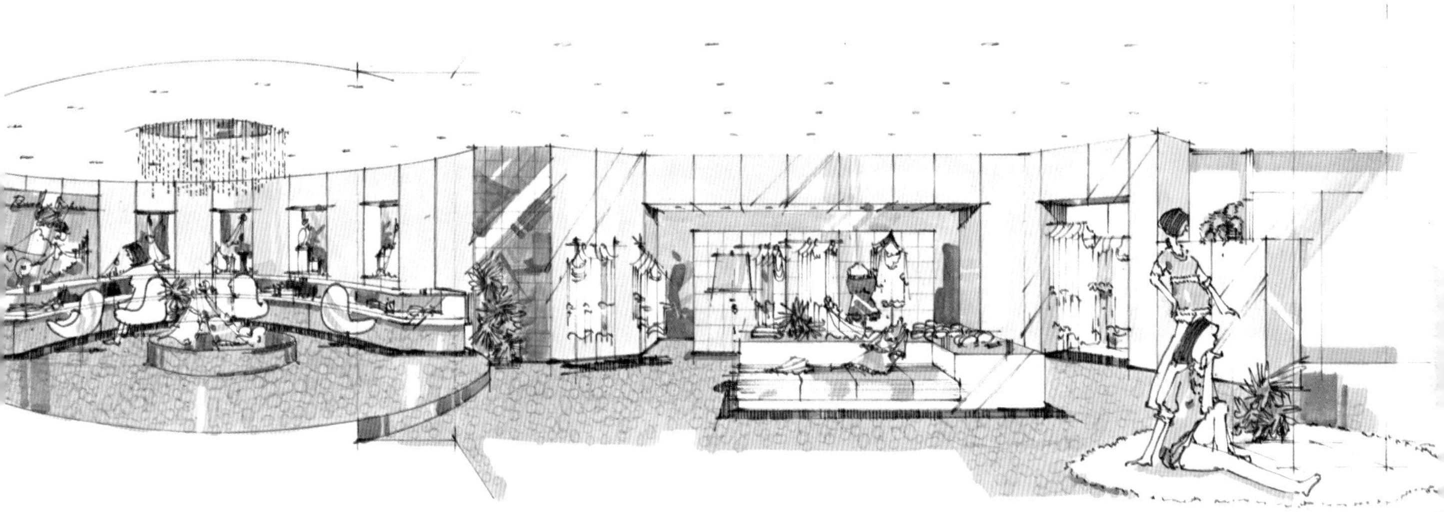

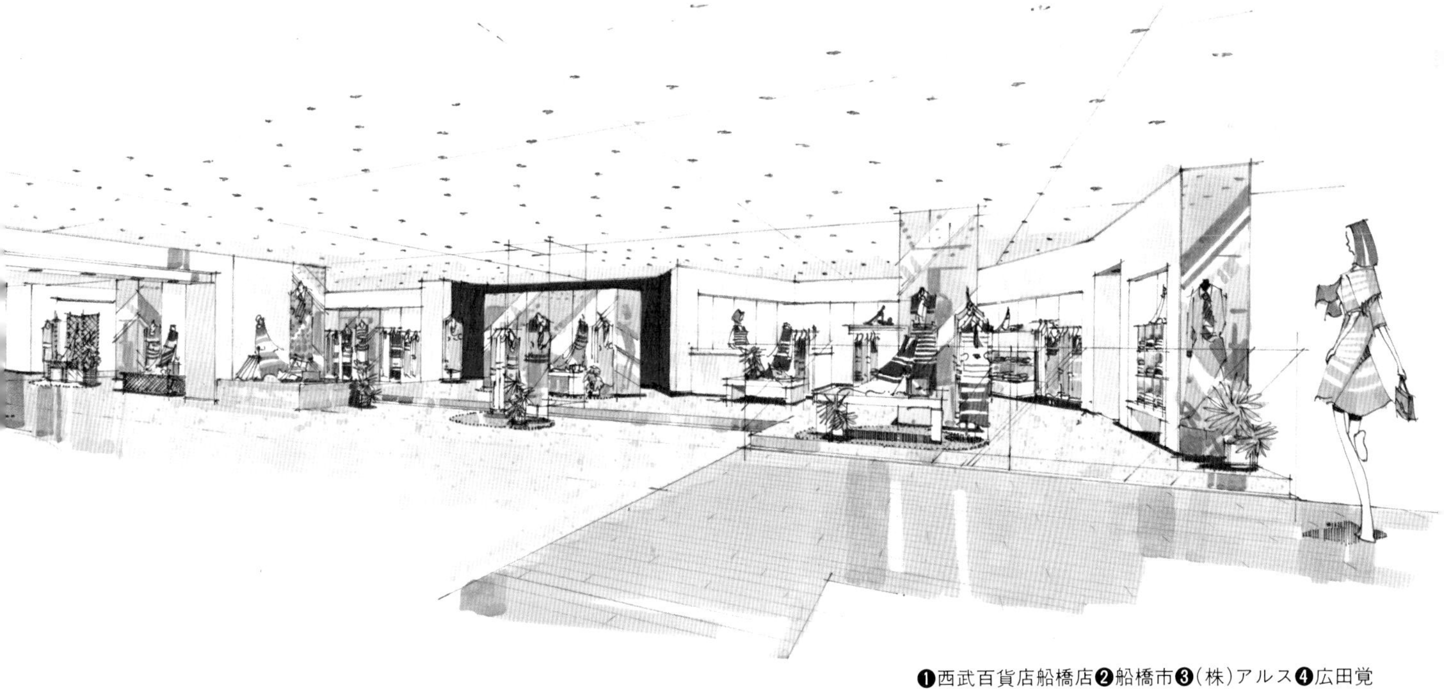

❶西武百貨店船橋店❷船橋市❸(株)アルス❹広田覚

※❶ピザハウス「ジロー」❷宇都宮市❸柏崎裕子❹浦田武

※❶四川飯店❷宇都宮❸日本レストラン企画(株)❹浦田武

❶ニューバッグ・エリア❷豊川市・ユニー国府店内❸❹麻野デザイン設計事務所・麻野捷年

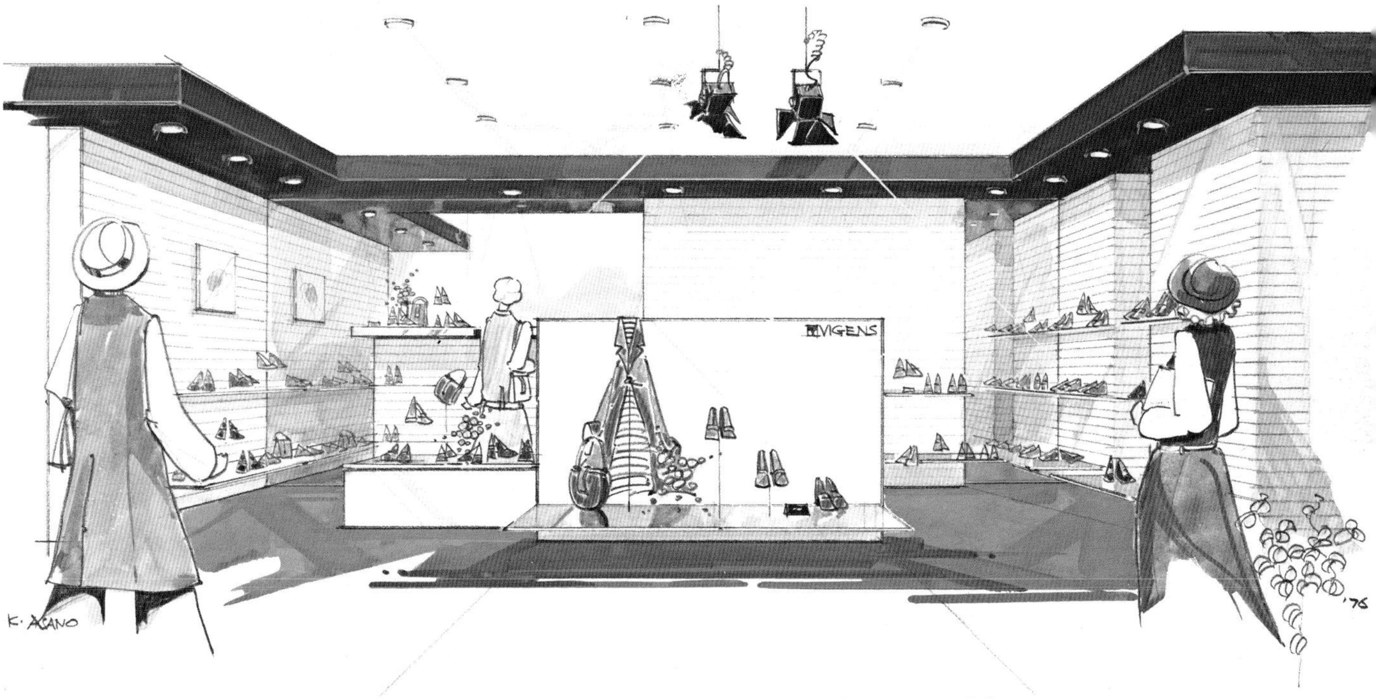


❶ビジェンヌ(サンローゼ六本木店)❷東京・六本木❸❹麻野デザイン設計事務所・麻野捷年

❶ホテルオークラ新潟宴会場❷新潟市❹YAMAデザイン・オフィス・山本靖則

❶呉服の店「かいずや」サンシャイン店❸(株)丹青社❹古沢京子

❶陶器「八ッ橋」❷東京・四谷❸タツミ❹熊谷常男

❶「ダイアナ靴店」❷東京・原宿❸アルテリア❹熊谷常男

❶コーヒーショップ「マーガレット」❷大阪・難波❸(株)神戸日建・竹久逸美❹同・井内一夫

❶コーヒーショップ「ローズシャロン」❷尼崎市❸(株)神戸日建・嶋原英雄❹同・井内一夫

❶某ビューティサロン❷名古屋・千種区❸❹フジデザインルーム・藤井道雄

❶某美容院❸❹大菅建築デザインルーム・大菅満義

❶キャバレー「サン」❷大阪市❸(株)桝谷設計❹(株)辻本デザイン事務所・辻本達広

❶クラブ計画案❸(株)富士総合企画❹(株)福田デザイン

❶キャバレー「ニュージャパン」❷仙台市❸生美術建築デザイン研究所❹レンダリングRIYA

❶ダンスホール「紫光」❷大阪市❸生美術建築デザイン研究所❹レンダリングRIYA

❶ファッションビル「ジョエルデ・アルカサール」❷飯田市❸(株)末徳名古屋物販事業部❹同・安江広隆

❶フランス料理の店「リオン」❷名古屋市❸❹綜合インテリア設計事務所・早川文彦

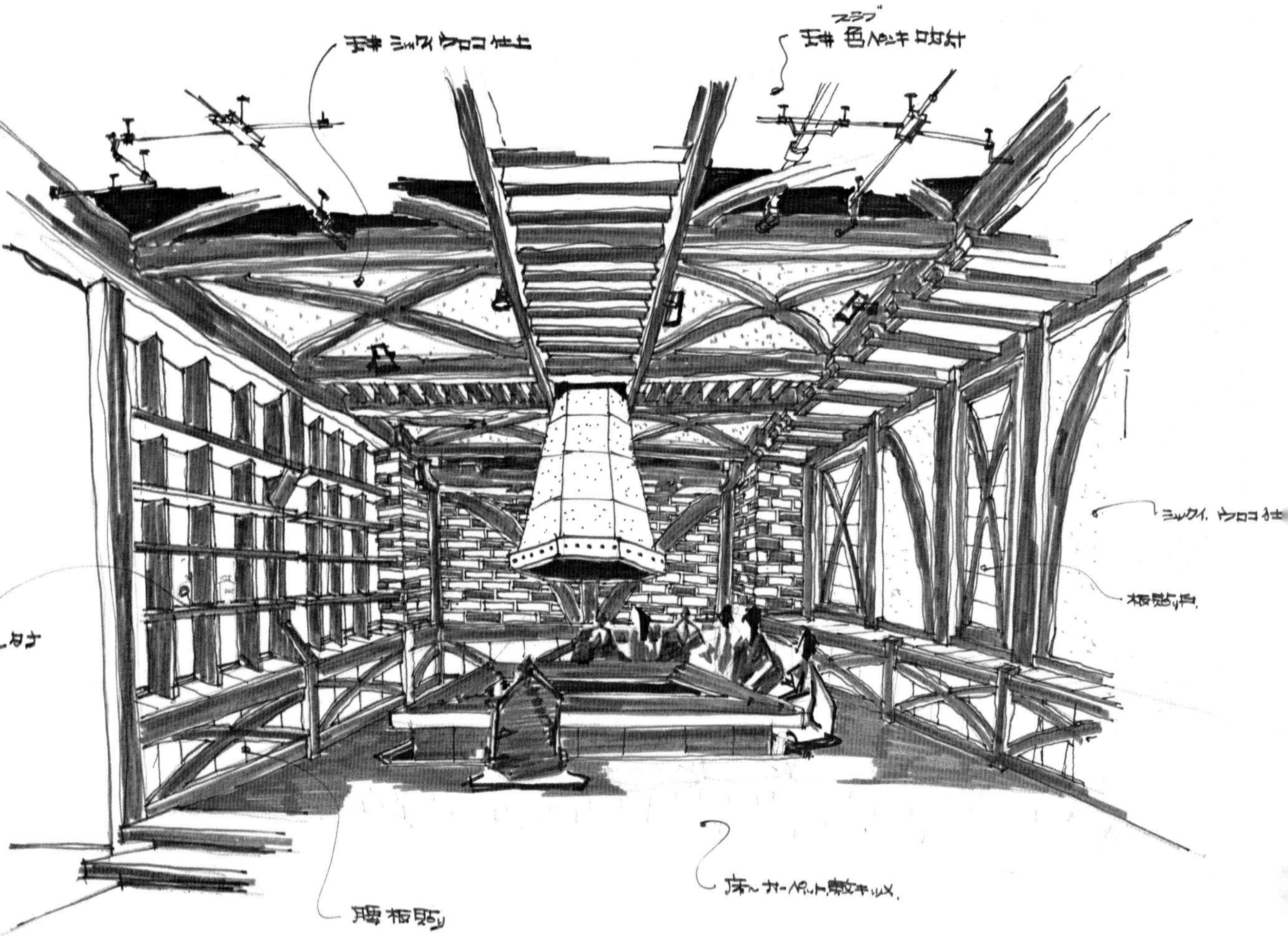


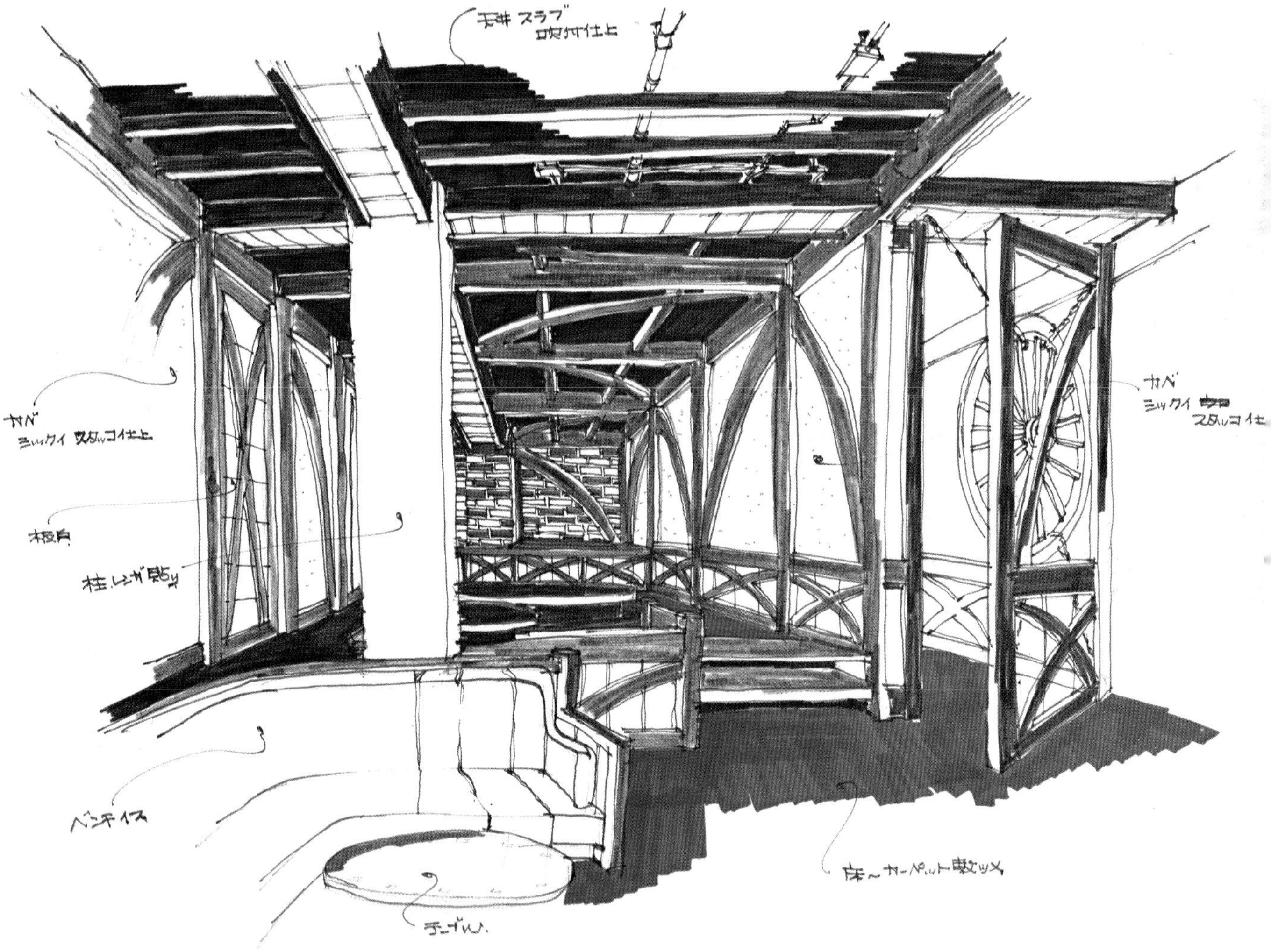


❶某ステーキハウス❷東京・六本木❸❹(株)丸潟設計事務所

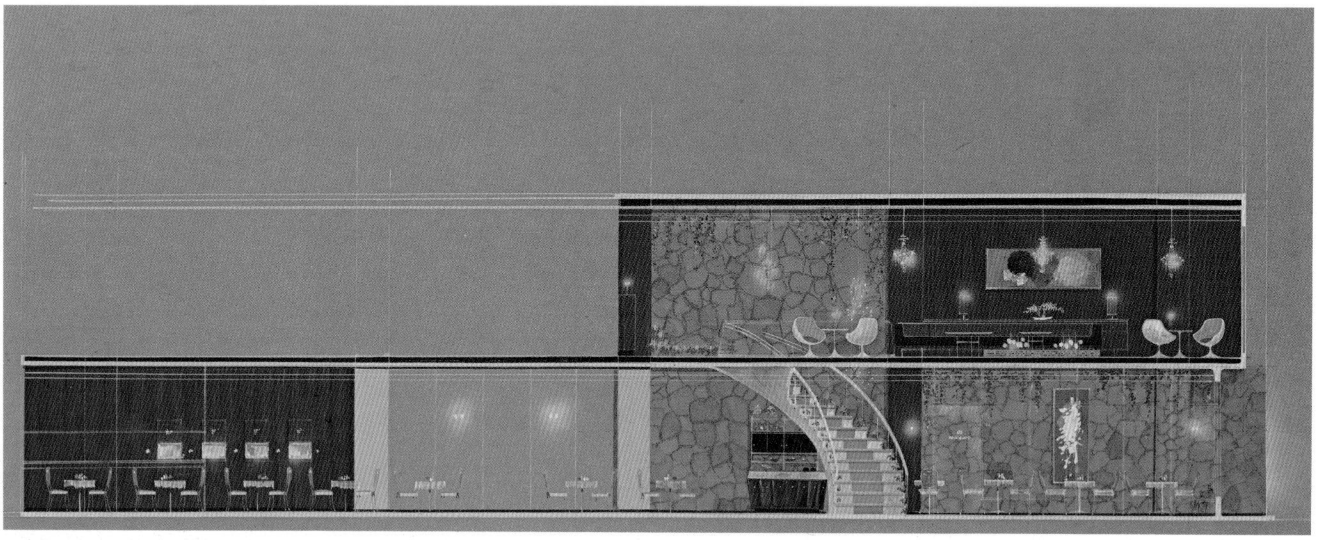

❶レストラン計画案❸❹(株)丸潟設計事務所

# パース随想二つ　丸潟栄治

パース、特に商業建築のインテリアのパースについては、この出版社の既刊本の幾つかで諸先生がその目的、手段のほか、表現の条件、表現技術の内容についてあますことろなく有益な啓示をされております。このたび私にも「何か書け」とのことですが、今さらつけ加えることもないと思われますので、随想的にパースのルーツと現代デザインとのかかわりについて考えてみたいと思います。

**パースのルーツについて**

パースペクティブすなわち透視図法は、周知の通りルネッサンス初期に始まり、フィレンツェの建築家（彫刻家、金銀細工師）プルネレスキが創始者と伝えられております。

透視画法は、ある一定の視点から見た対象の表現ですから「視点」のもとである「画家の眼」が問題であり、画家である「人間を中心にした映像」ということはルネッサンス思想の具体的投影だったわけでしょう。

当時彼等が求めたのは、現実の対象物を事実そのままに、かつ完全な均衡を以て再現することであり、そのために透視図法による科学的遠近法、確実な明暗法を必要とし、これは絵画表現に数学（幾何学）信仰を持ち込み、人体比例さえ円や正方形（当時完全な図形と考えられた）と関連させて考えました。

当時の絵画論に「絵画表現に熟達しようとする者はまず数

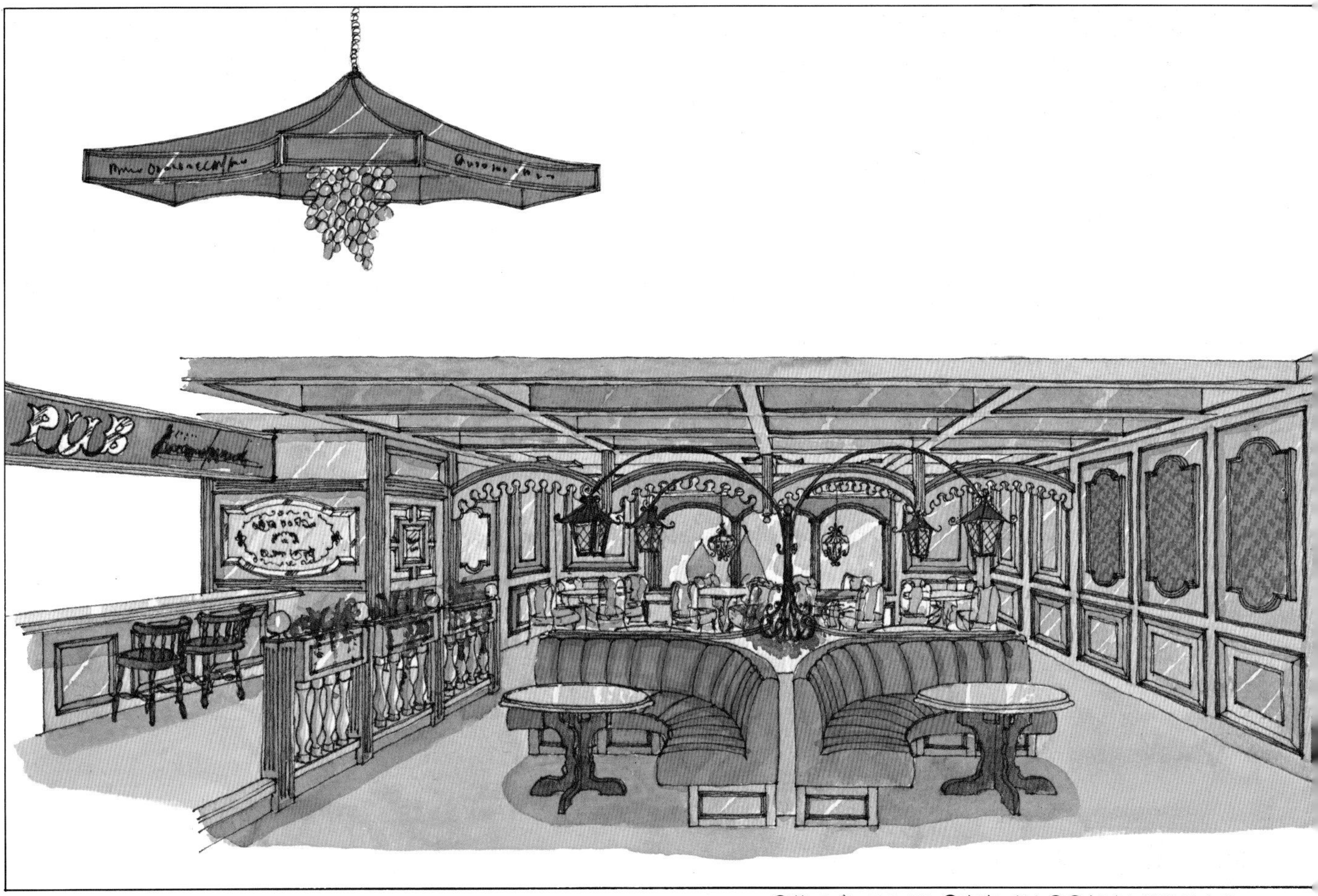


❶某パブレストラン❷東京・青山❸❹(株)丸潟設計事務所

学（幾何学）をマスターせねばならない」という語がある一方、逆にある画家は「定規もコンパスも使わずに実物そっくりに描ける」と変な称賛を受けたという話があります。

事の是非は別として、この挿話はパースの原点として考えさせられるものを持っており、現代のパース制作も小手先きのイラストの器用さだけで糊塗すべきものでないことを教えられます。

**1979の時点で**

現代は科学への不信、人間への絶望から限りない不安混迷の時代と申せましょう。絵画は最も敏感に時代精神を反映しますが、インテリア・デザインも生活に密着するものとして当然、時代精神、人間感情の推移に目を塞ぐわけにはまいりません。この点建築よりはるかに絵画の動向に近いかも知れません。

単純、明快、機能性、合理性を至上としたモダン・デザインが病院、学校、官庁等を除いたインテリアの世界で飽きられ、ディスコに見られるような幻想、怪奇、誇張や光、色彩のサイケデリックな表現が現れたり、ピクチャレスク建築のリバイバル(私の事務所が設計したコーヒー専門店を初め、飲食店の内装の世界的傾向でもある）に浪曼的郷愁を見出したりするのも、この時代の混迷にすっぽり溺れるか、あるいは一時の憩いに安らぎを求めるかの差異にすぎないのではないでしょうか。

パースの表現すべき「デザイン」の傾向そのものが、パースを生んだ古典主義の美学思想の反対傾向（人間の不条理性の表現）へ大きく傾斜している現代のインテリア・デザインにおいて、パース表現の課題は何か。

実のところ私にも確たる答案はないのです。少くとも日本の場合、アメリカのように、プレゼンテーションに模型を用意する習慣が少ないため、完成時点の実在感を施主に理解してもらう必要上、スケールの比例の歪曲は許されないので、デザインの傾向とは反対に、厳格な古典的方法が捨てられないわけです。

ただ、場合によっては日本の絵巻物の手法に見られる斜投象の俯瞰図など、視点の流動性はあるものの、案外面白い効果が出るのではないでしょうか。また、原則を外さずに多少の誇張、歪曲を試みるには、従来のオーソドックスな建築パース描法の枠を出る各種のイラスト技法の開発、応用も必要でしょう。

思いつくままですが、点描とか日本画のタラシ込みの技法など、また無彩色の場合にビアズレー的ペン画技法や、明暗を拒否した日本画の白描など幻想性、浪曼的傾向の表現にいかがでしょうか。いずれにしても、答案になっていないことはじゅうぶん承知していますので、今後とも皆さまとともに考え、またこの点についてご教示も仰ぎたいと考えております。

**〈丸潟設計事務所代表〉**

❶ナイトクラブ計画❸❹(株)辻本デザイン事務所・辻本達広

※❶カレーハウス「ラジャー」❷豊橋市❸加藤秀弘❹重松宏尚

❶某パブ❷名古屋市❸❹(株)アド・スペース・インターナショナル・橋爪義尚

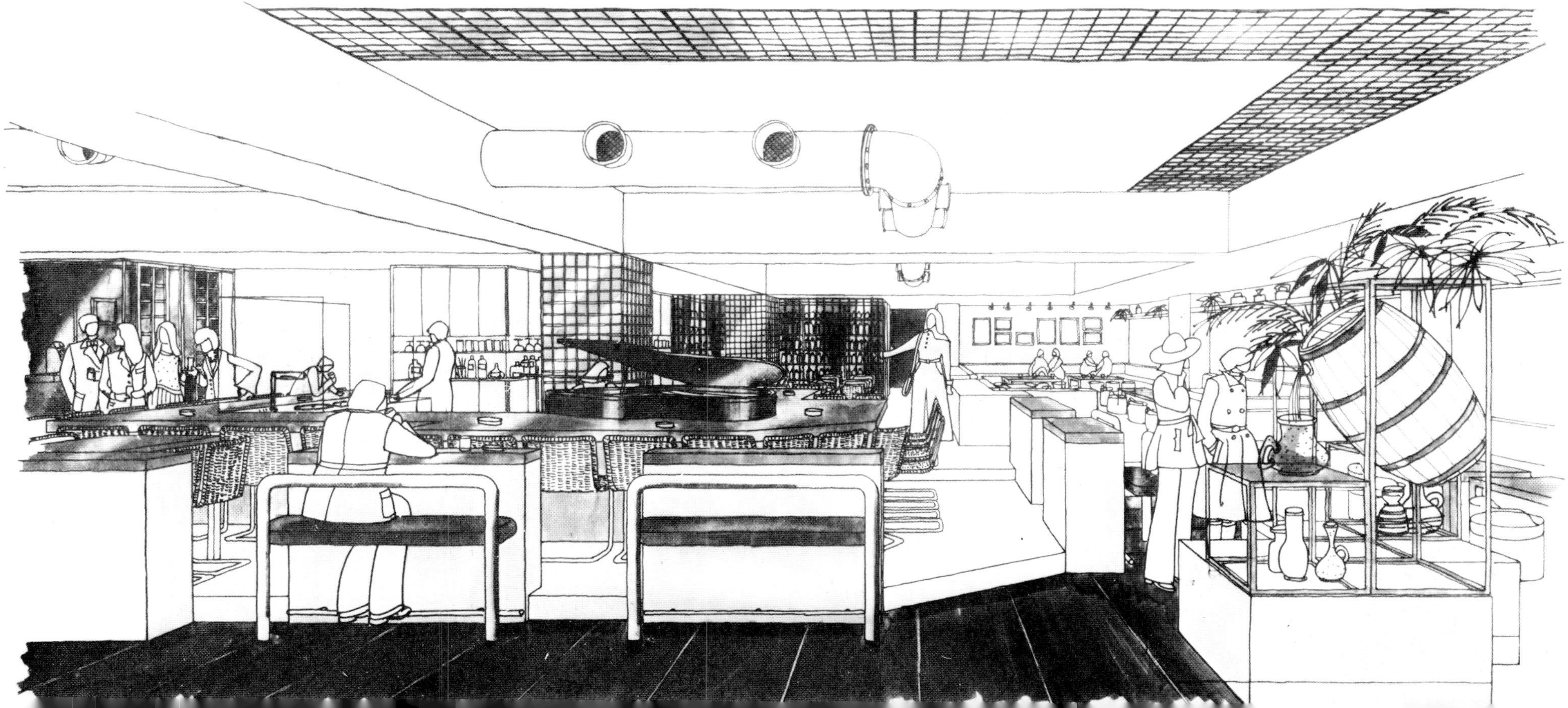

※❶ディスコ「ブラックキャッツ」❷東京・渋谷❸駿河意匠計画室❹YAMAデザインオフィス・山本靖則

❶某ディスコ❷東京・青山❸内山デザインルーム❹重盛友里恵

MAIN BAR CORNER

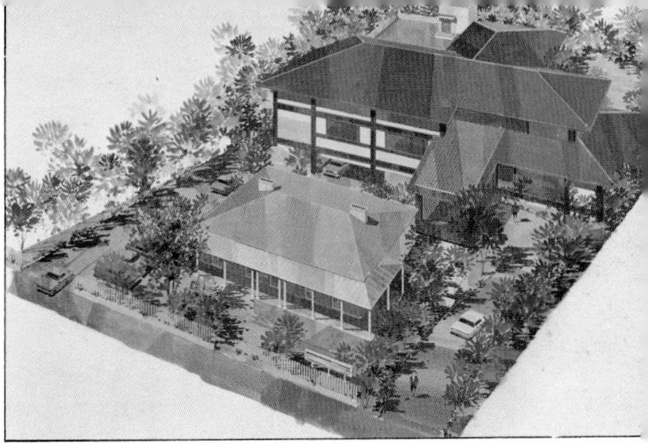

TEPPANYAKI CORNER

TEMPURA CORNER

JAPANESE STYLE ROOM

ENTRANCE

HALL

❶レストラン「粲鳥」
❷シドニー
❸(株)内藤マサヒロ建築研究所
❹オズ・アトリエ

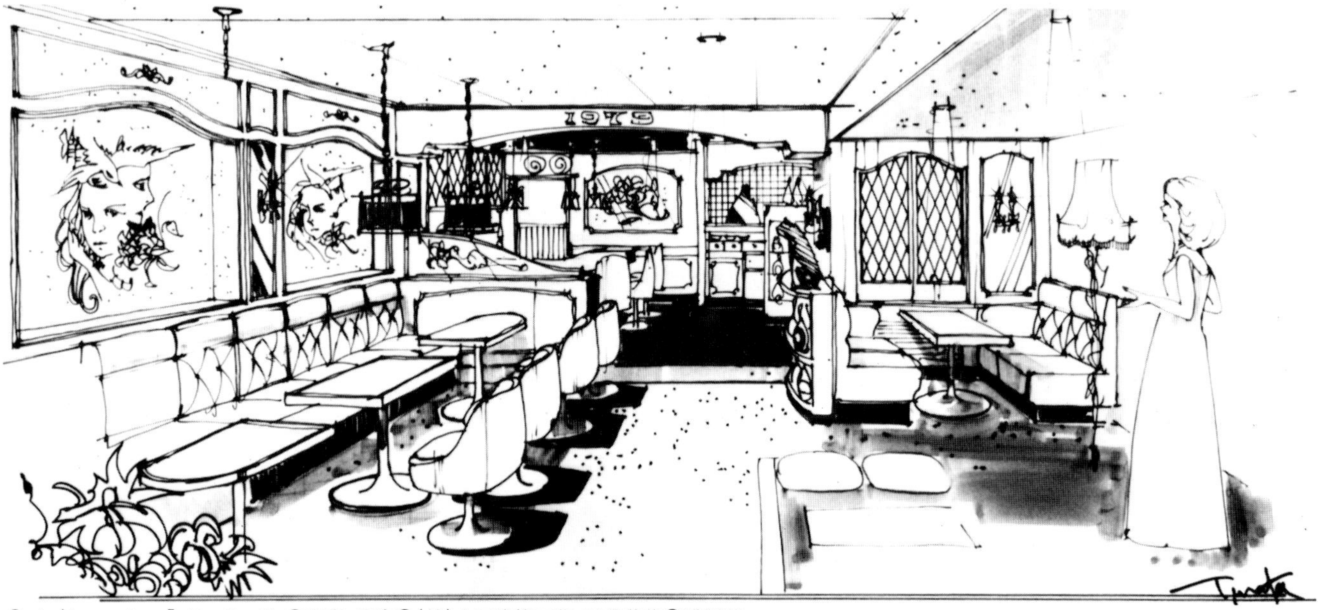


❶パブ＆コーヒー「バンガード」❷東京・原宿❸(株)白宣建築工芸・尾崎義龍❹浦田武

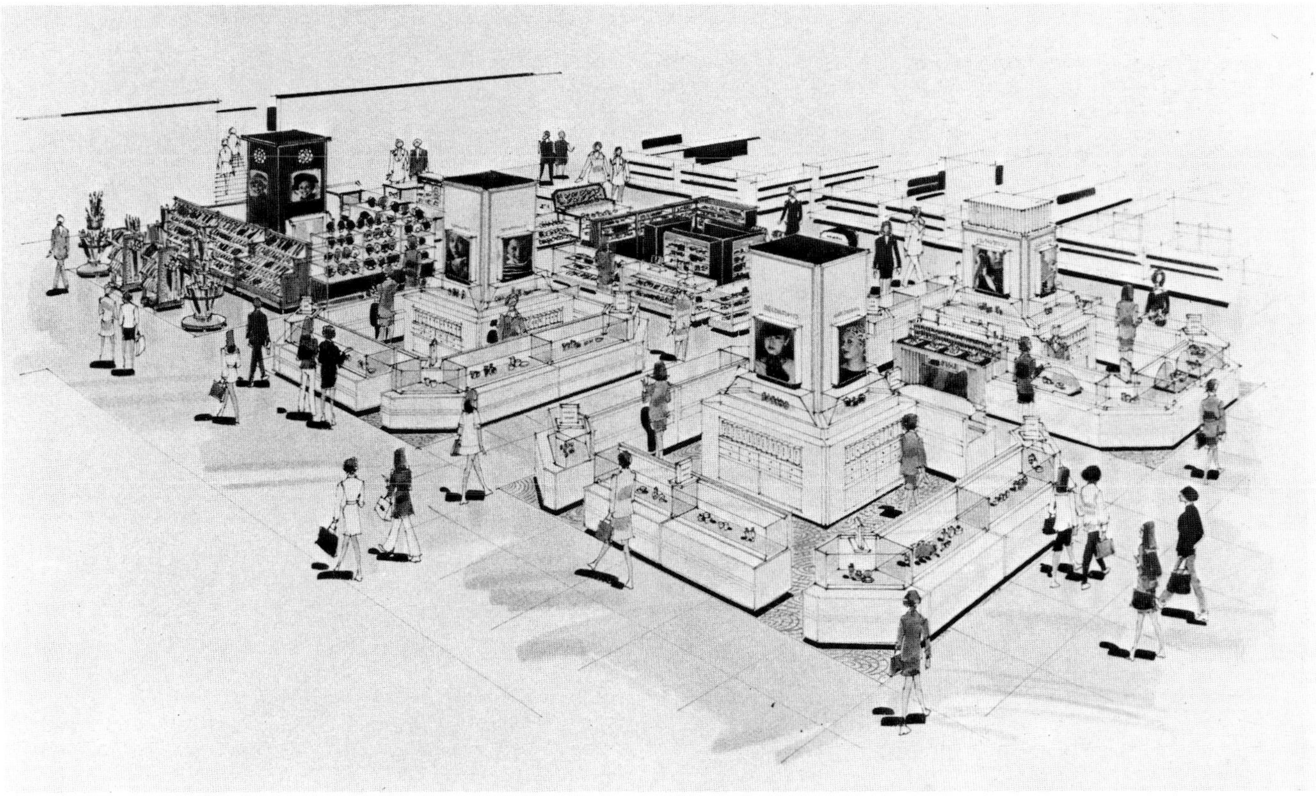

❶某デパート化粧品売場❸ヤシマ❹熊谷常男

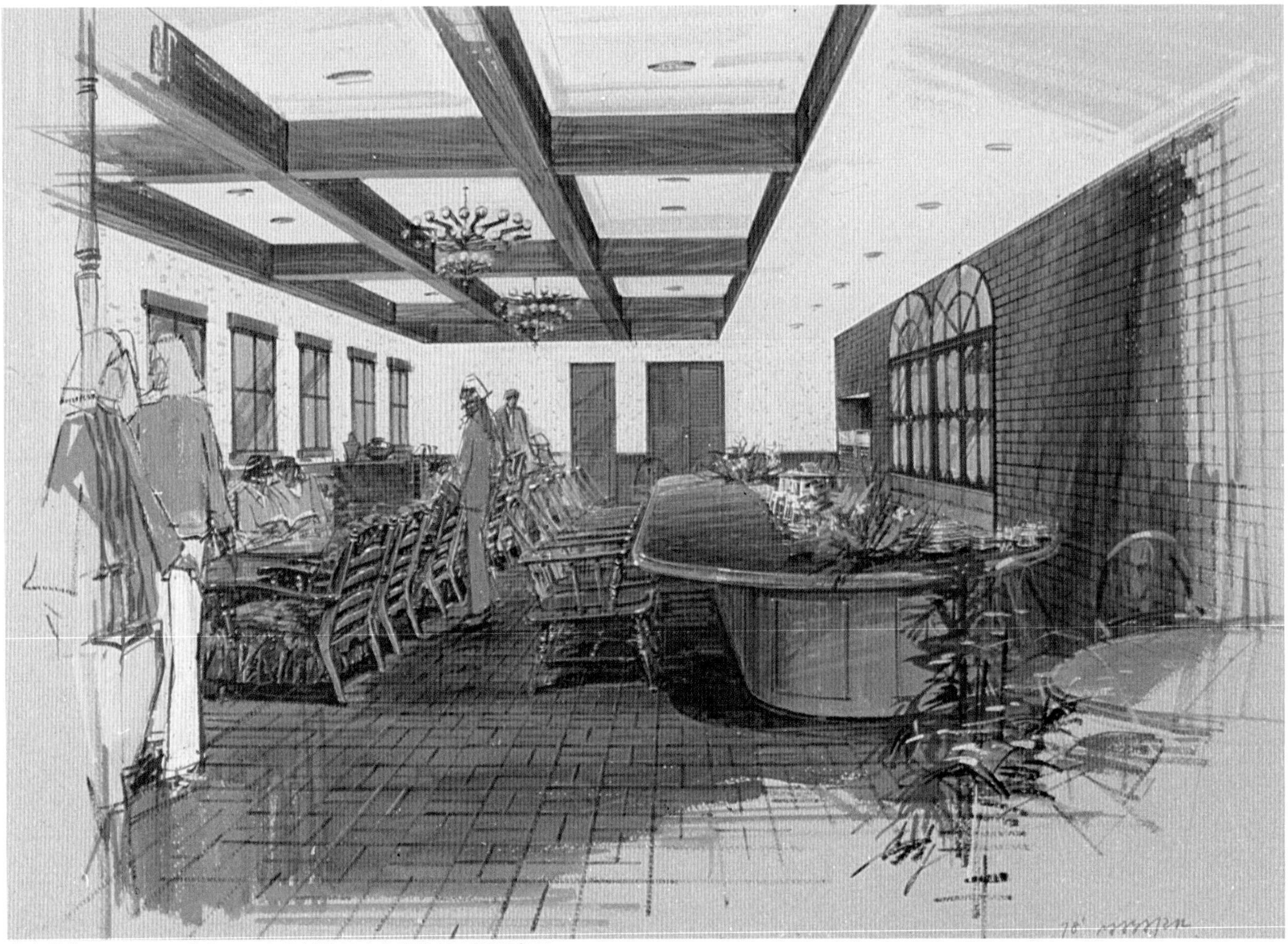

❶喫茶「ランベール」❷寝屋川市❸(株)精宏社❹松原政瑠研究所

❶喫茶「ハンモック」❷西宮市❸岩井デザイン工房・岩井豊史❹松原政瑠研究所

❶レストラン「ランバン」
❸シマデザイン・安藤満義
❹熊谷常男

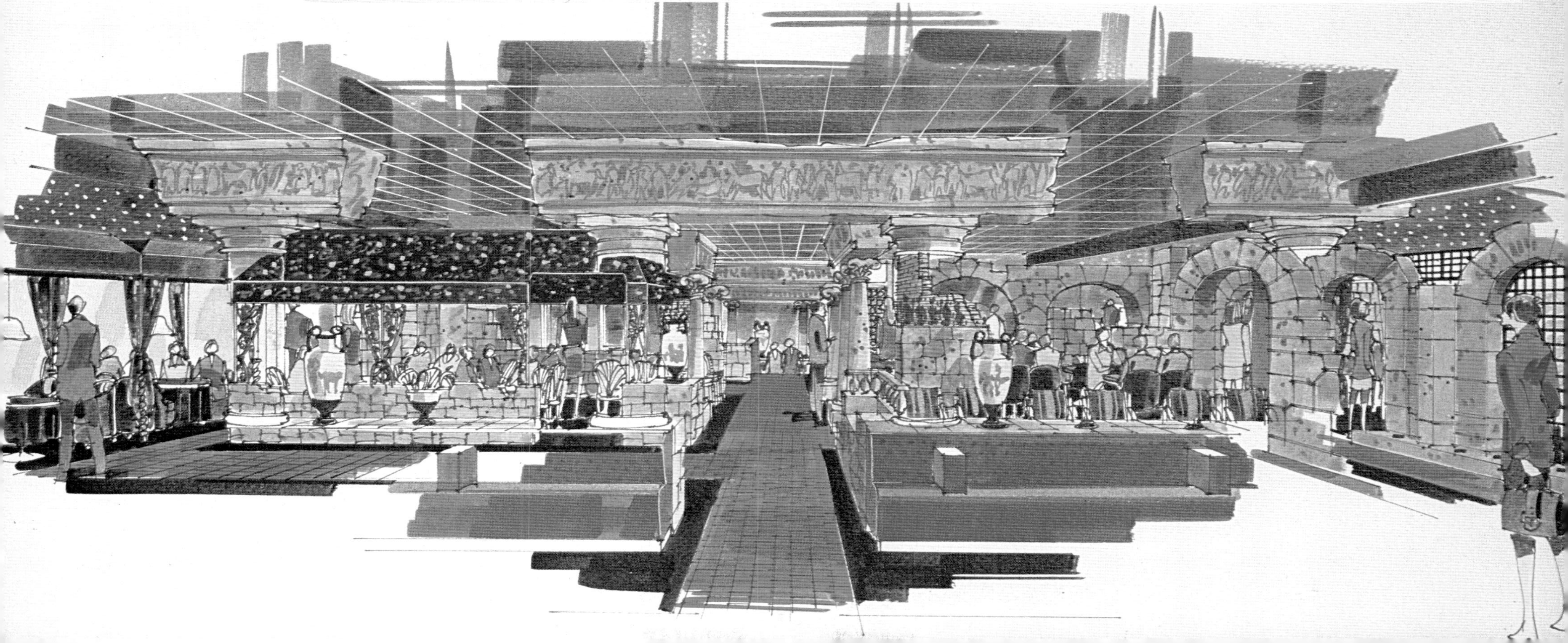

❶某割烹❸大壁英彦❹ドーンデザイン研究所・水戸岡鋭治

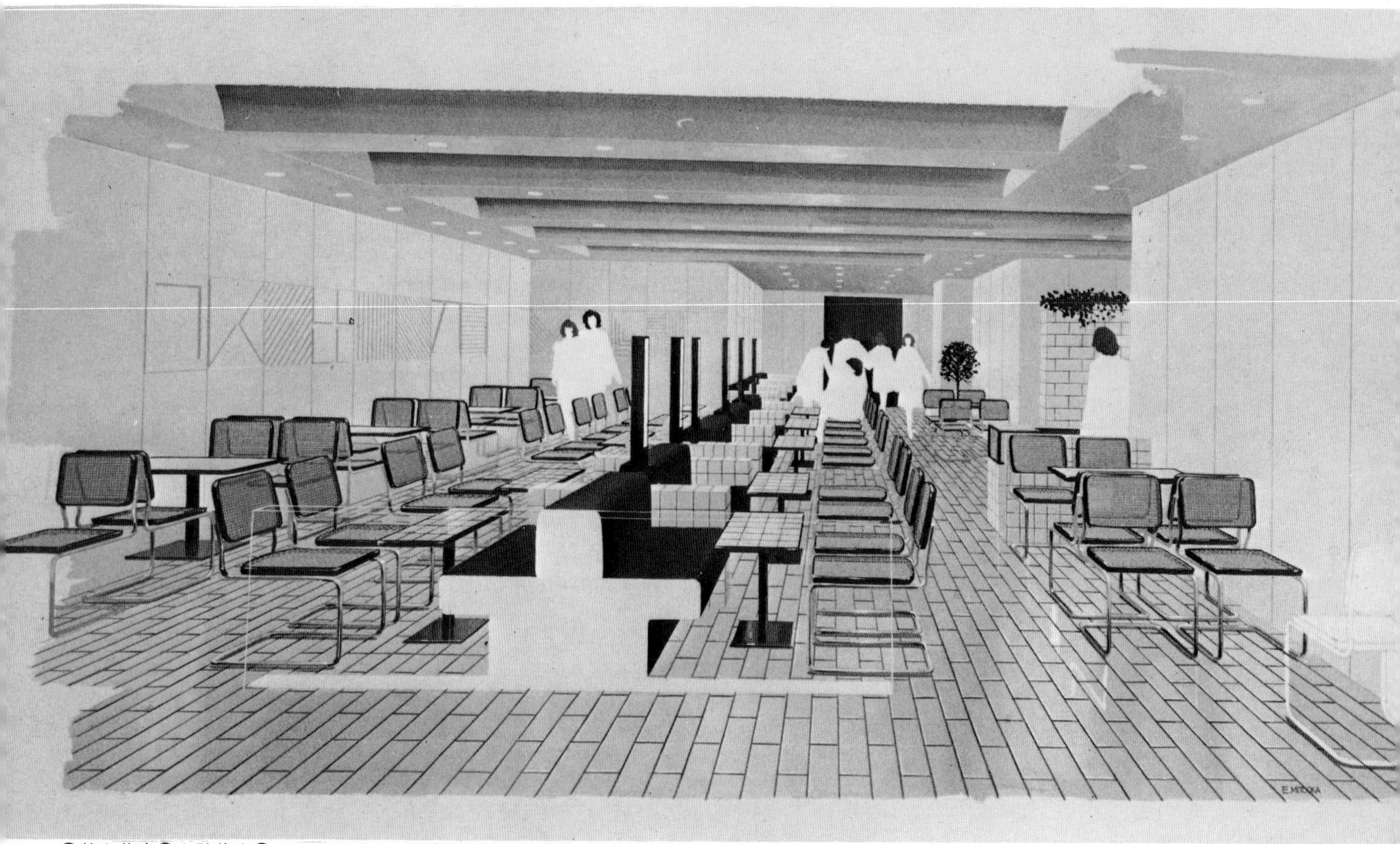

❶某喫茶店❸大壁英彦❹ドーンデザイン研究所・水戸岡鋭治

カウンター、和室

椅子席

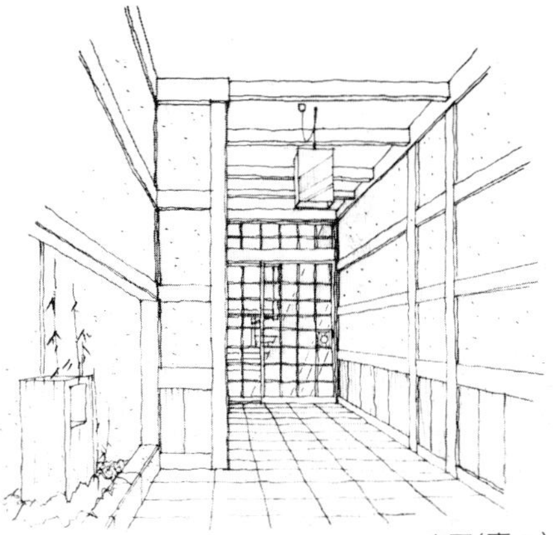

廊下（裏口）

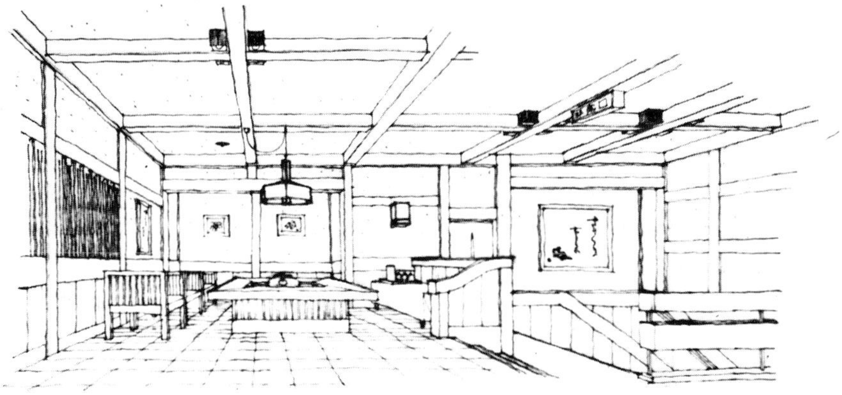

待合ホール

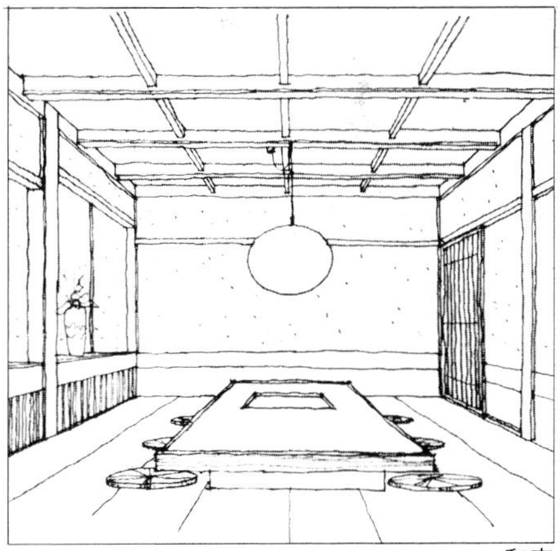

和室

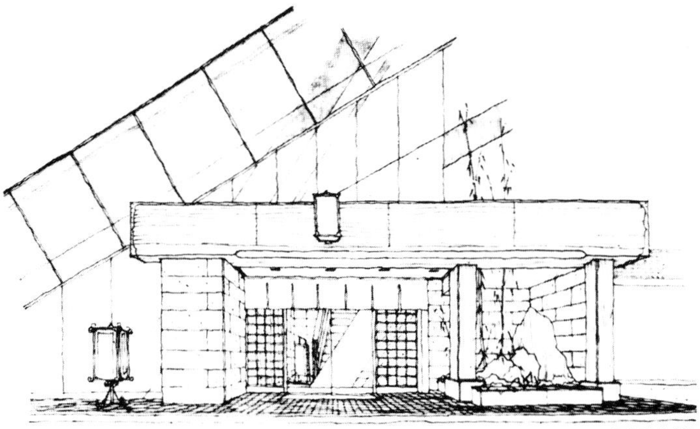

正面玄関

❶しんほ亭❸❹小杉弘一建築設計事務所

❶割烹「串勢」❷東京・神田❸❹オレンジブック・小椋勇記夫

❶ニッセン❷鳥取市❸❹ライトハウス・荻野恒雄

❶軽井沢コンチネンタルクラブハウス・ロビーレストラン❷軽井沢❸戸塚佳治設計事務所❹秋山知恵子

❶ピザハウス「ジロー」❷東京・赤羽❸KAKO・照井昭裕

❶イケスと鉄板焼「三日月」❷東京・銀座❸(株)松坂屋家具装飾部設計課❹牧野達夫

❶スナック「美嶺」計画案❷東京・大田区❸(株)松坂屋家具装飾部設計課❹牧野達夫

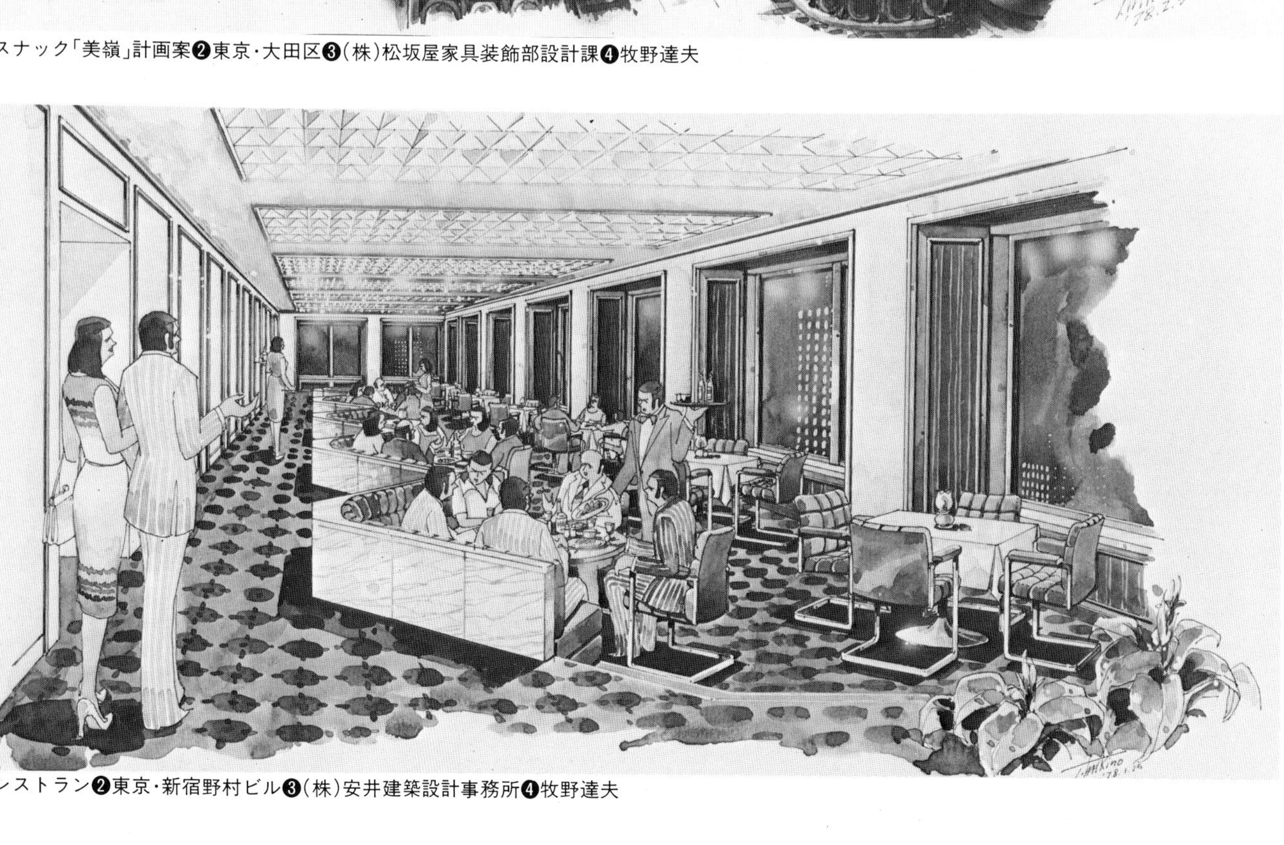

❶レストラン❷東京・新宿野村ビル❸(株)安井建築設計事務所❹牧野達夫

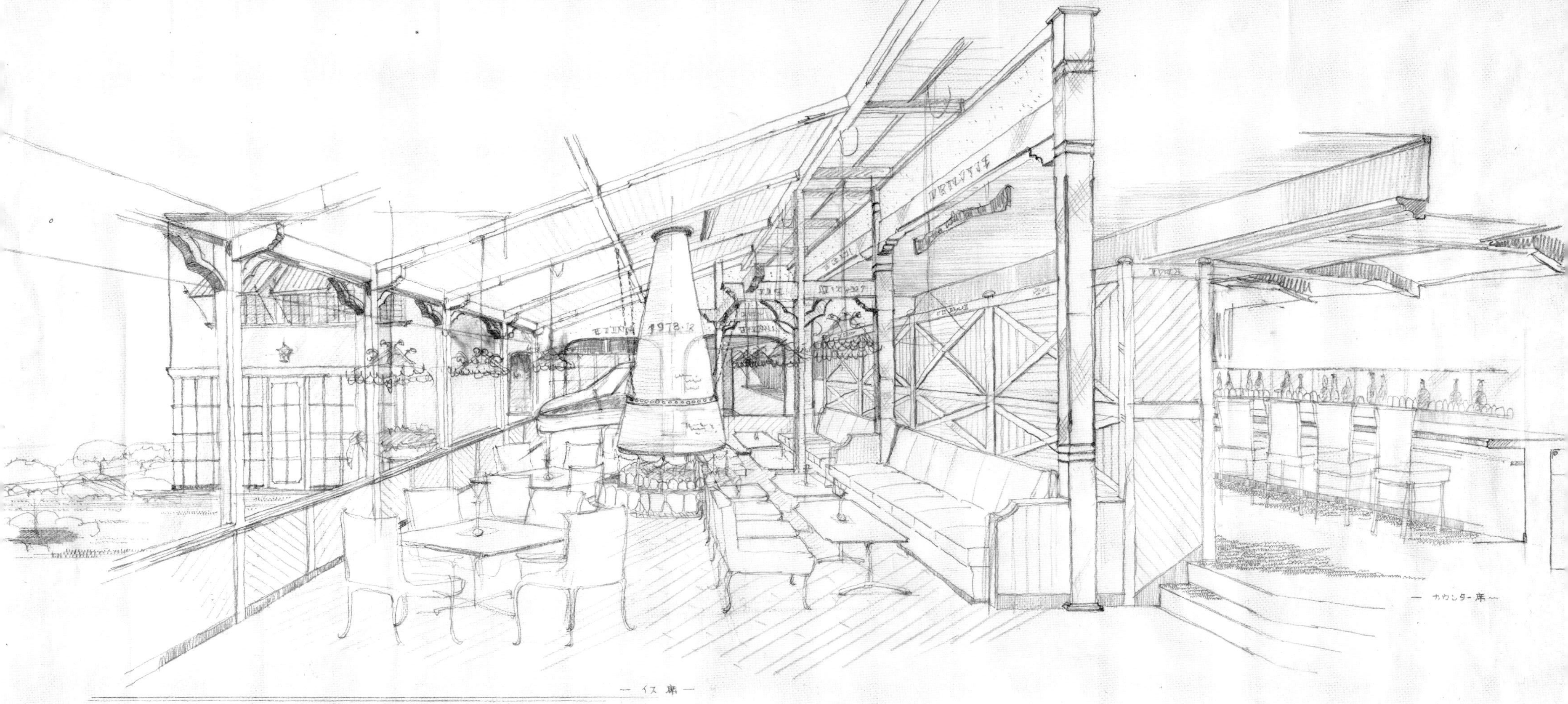


❶Sレストラン❸❹(株)汎美設計大阪事務所

❶パブ「サントリー」❷東京・赤坂❸（株）安井建築設計事務所❹牧野達夫

❶パブ「サントリー」❷東京・赤坂❸(株)安井建築設計事務所❹牧野達夫

❶盛岡サンビルデパート食堂❷盛岡市❸ニッテン設計事務所❹同・武塙彩子

❶コーヒーショップ「版」❷東京・四ッ谷❸ニッテン設計事務所・八百一喜❹同武塙彩子

❶レストラン「M」❷佐倉市❸ニッテン設計事務所・八百一喜❹同・武塙彩子

❶竹すし❷名古屋市❸❹フジデザインルーム・藤井道雄

❶アイランドアカサカ❷東京・赤坂❸協立建築設計事務所❹同デザイン室

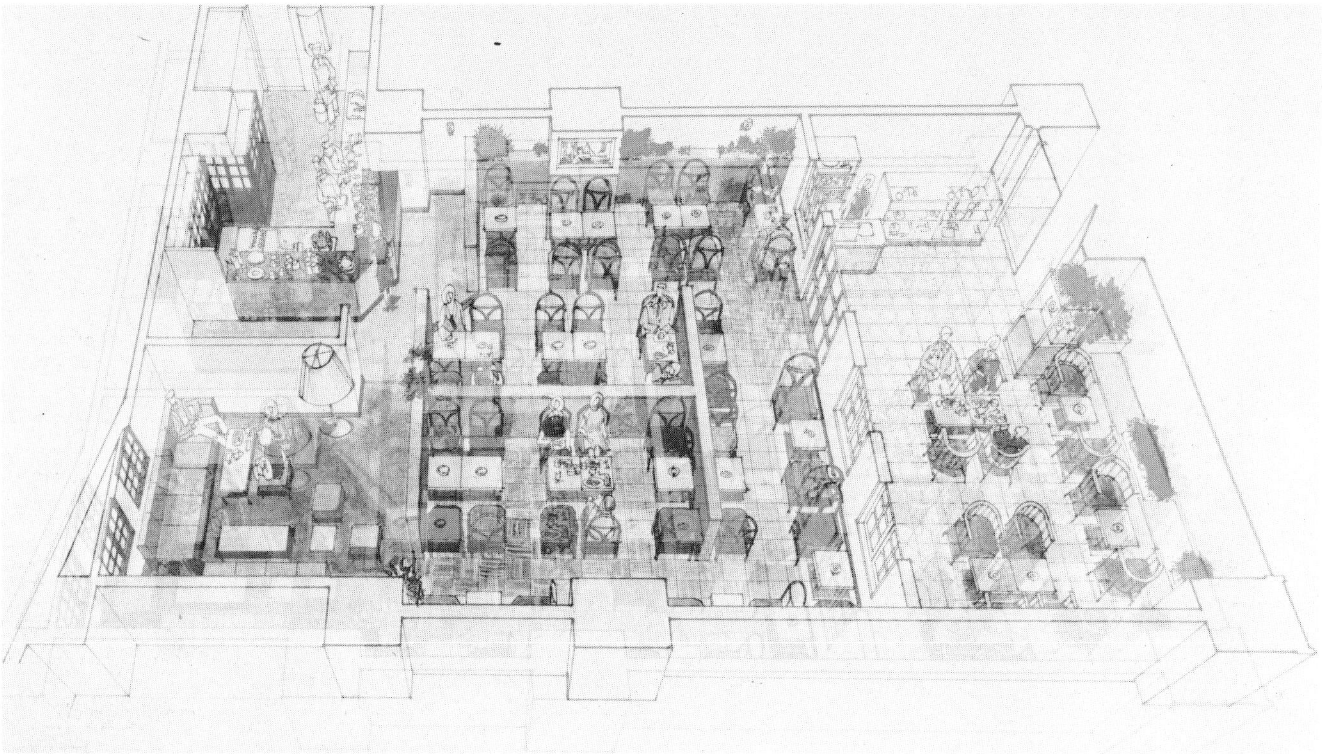

❶東急プラザ2Fレストラン❷東京・赤坂❸❹(株)福田デザイン

❶某喫茶店❸DAIZEN建築設計事務所❹レンダリングRIYA

❶結婚式場宴会場❷埼玉・篭原❸畠山一級建築士事務所❹(株)福田デザイン

❶ホテルオークラ新館宴会場❷東京・赤坂❸大成観光❹松鷹一海デザイン設計事務所・松鷹一海

❶珈琲館「アマア亭」新装計画❷東京・新宿❸(株)丹青社❹古沢京子

❶喫茶「CAREL」❷東京・原宿❸(株)丹青社❹古沢京子

❶ソウル・ロッテ・ショッピングセンター❷ソウル特別市❸(株)アルス❹同・横山実

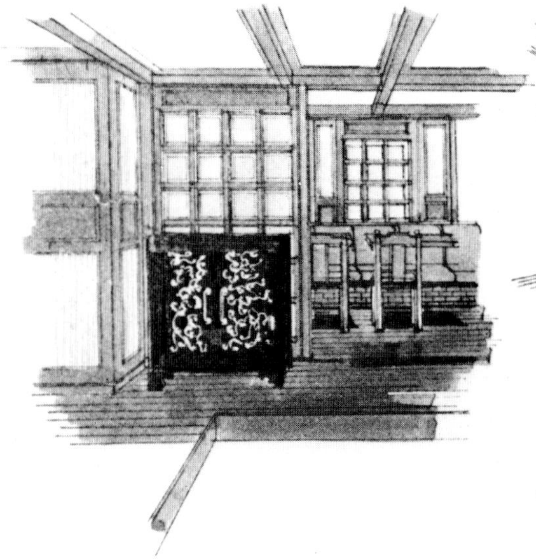

❶ソウル・ロッテ・ショッピングセンター❷ソウル特別市❸(株)アルス❹同・横山実

❶パブ・レストラン計画
❸❹(株)アド・スペース・インターナショナル・橋爪義尚

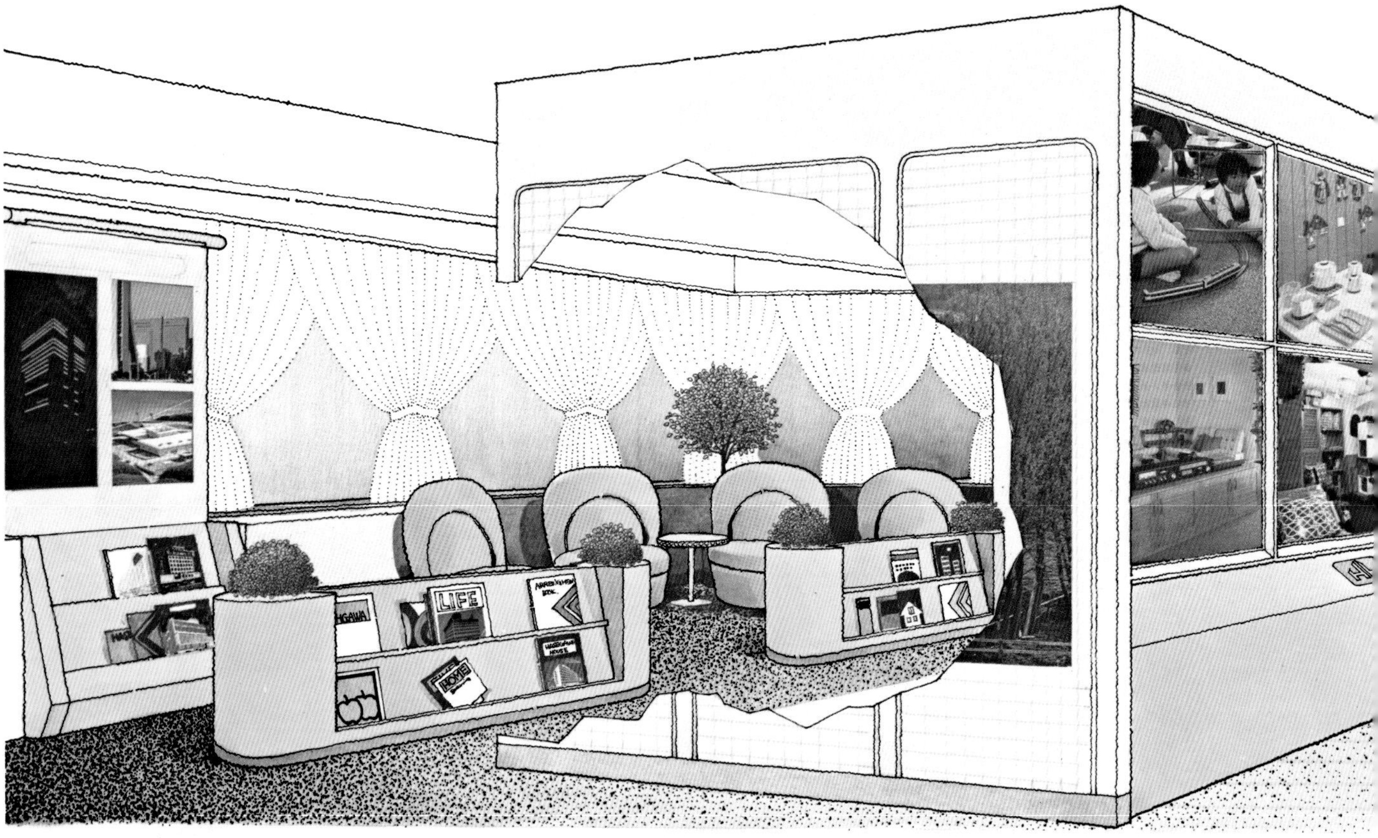


❶長谷川工務店マンションデパート赤坂店❷東京・赤坂❸(株)高島屋設計室❹ドーンデザイン・水戸岡鋭治

❶長谷川工務店マンションデパート渋谷店❷東京・渋谷❸(株)高島屋装飾部❹ドーンデザイン・水戸岡鋭治

TEL.
HOUSE

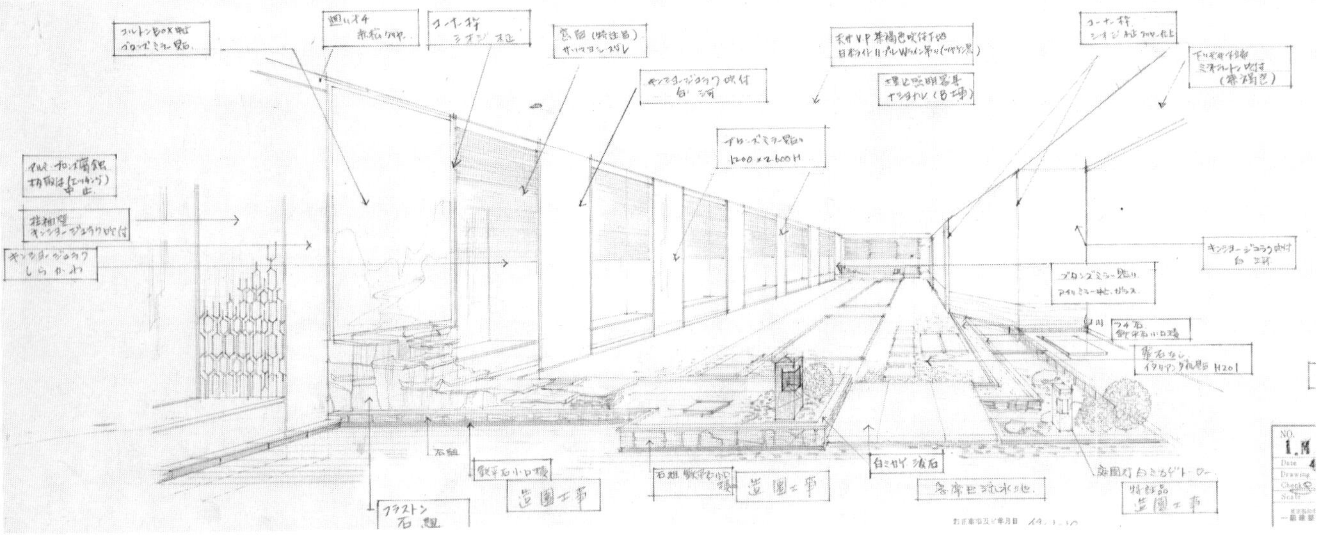


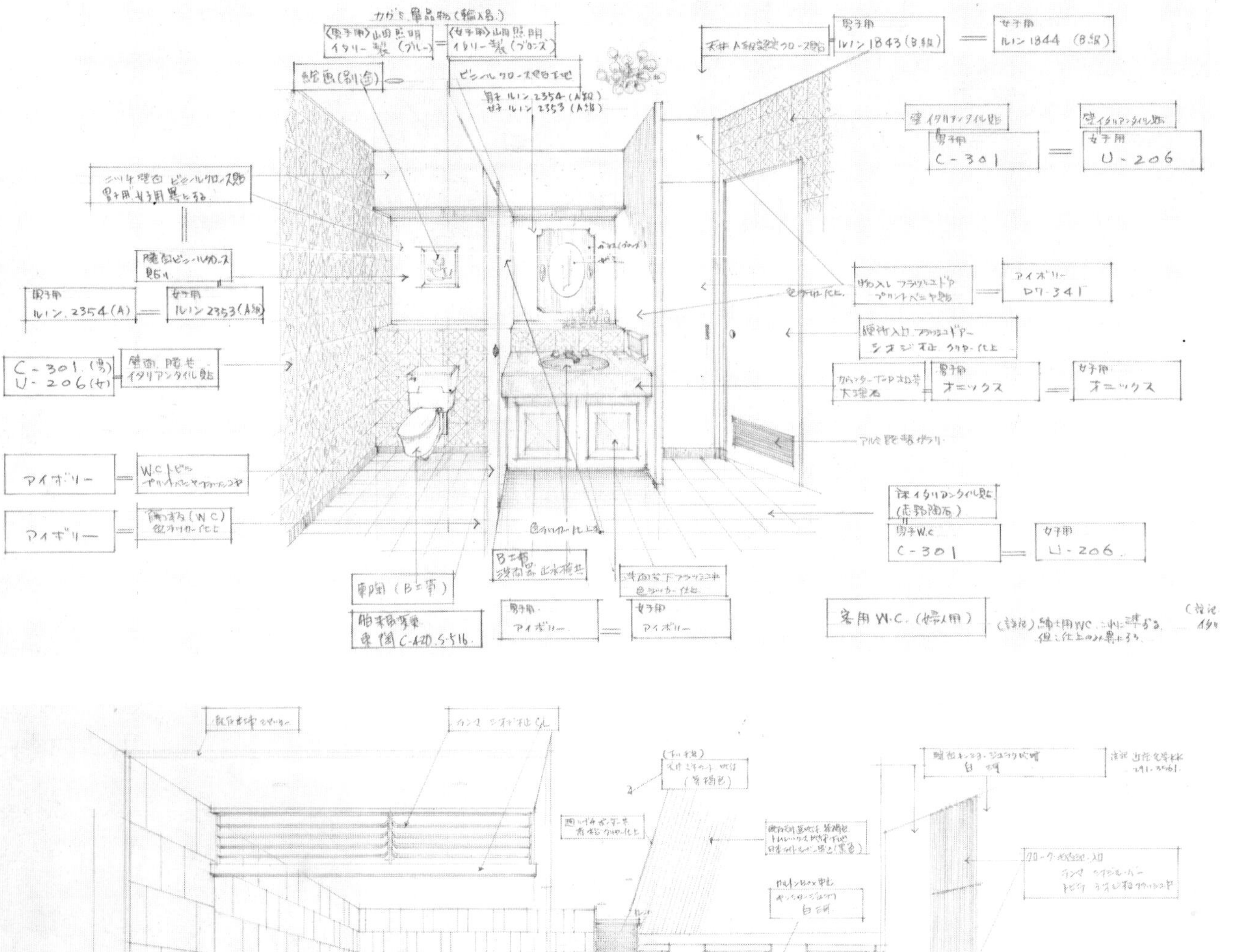


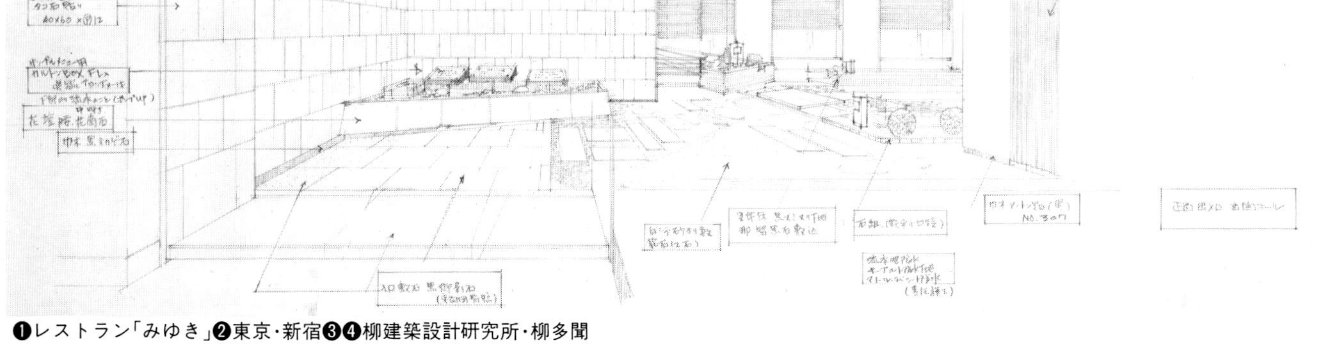

❶レストラン「みゆき」❷東京・新宿❸❹柳建築設計研究所・柳多聞

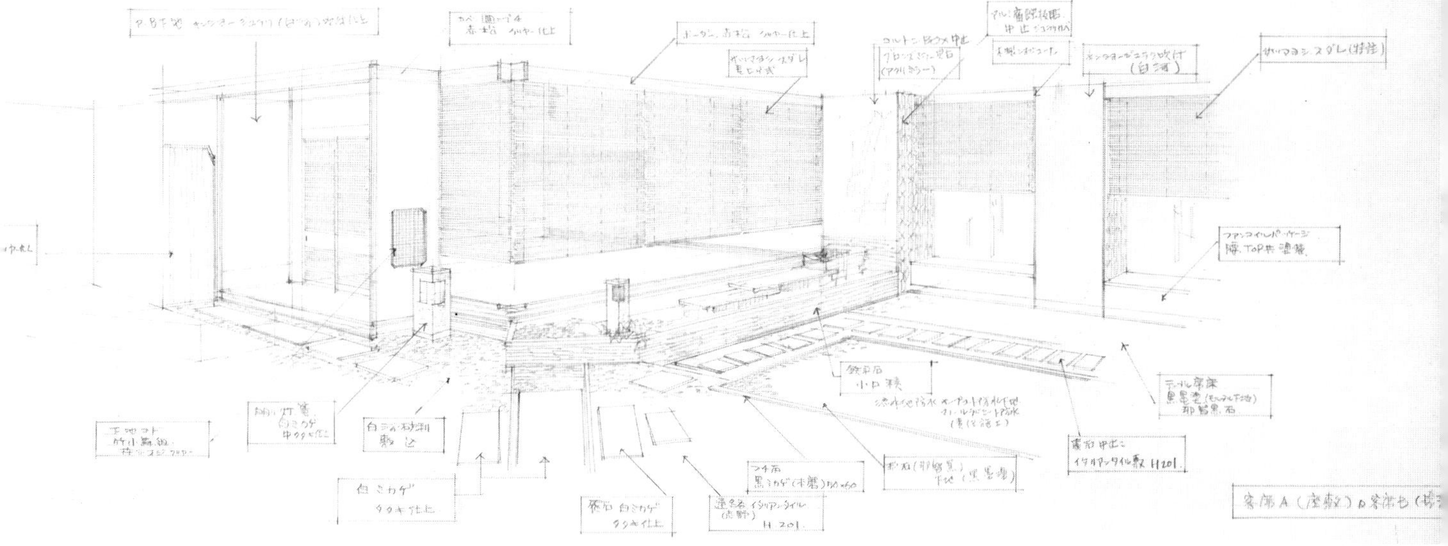
白ミカゲ
タタキ仕上
敷石 白ミカゲ
鉄平石
小口積


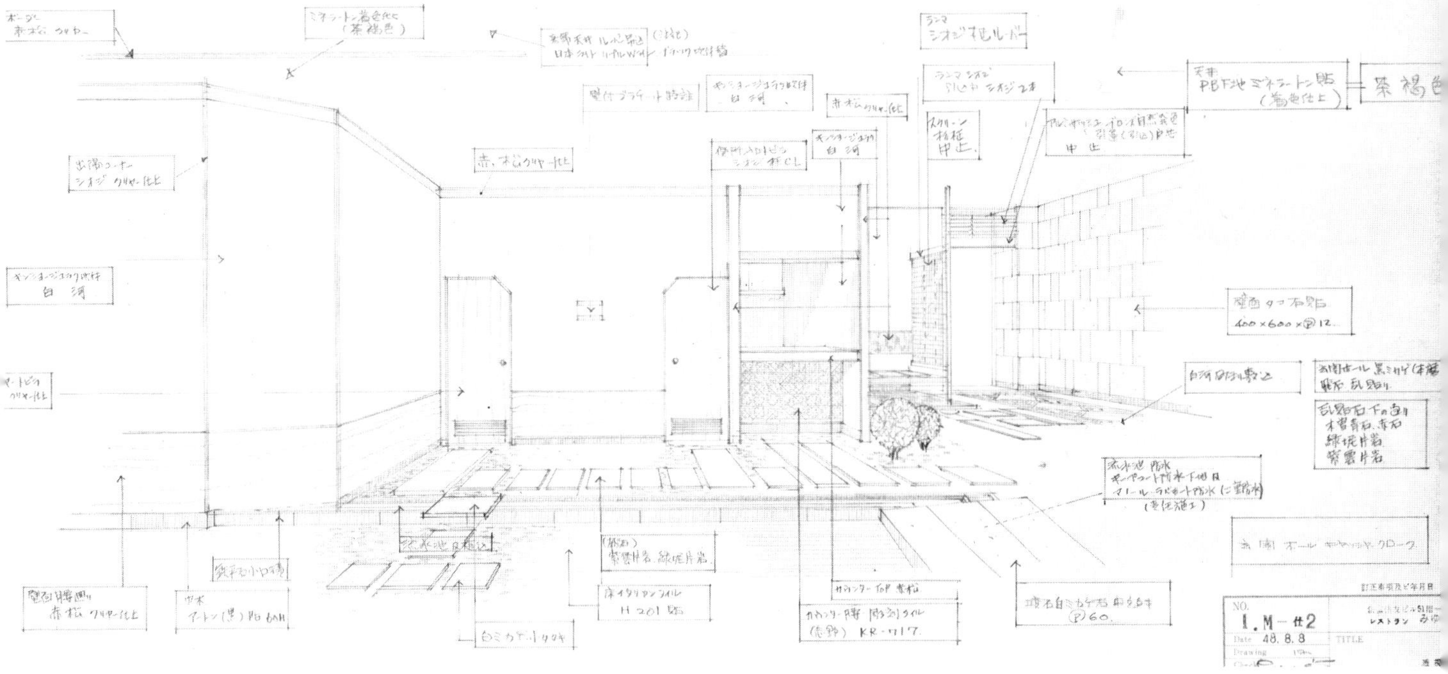
赤松クリヤー仕上
天井
PBF地 ミネラートン貼
(着色仕上)
茶褐色
壁面 タフ石貼
400×600×厚12
H 201
白ミカゲ小タタキ
カウンター腰 陶製タイル
KR-717
NO.
1.M−#2
Date 48.8.8
TITLE
Drawing


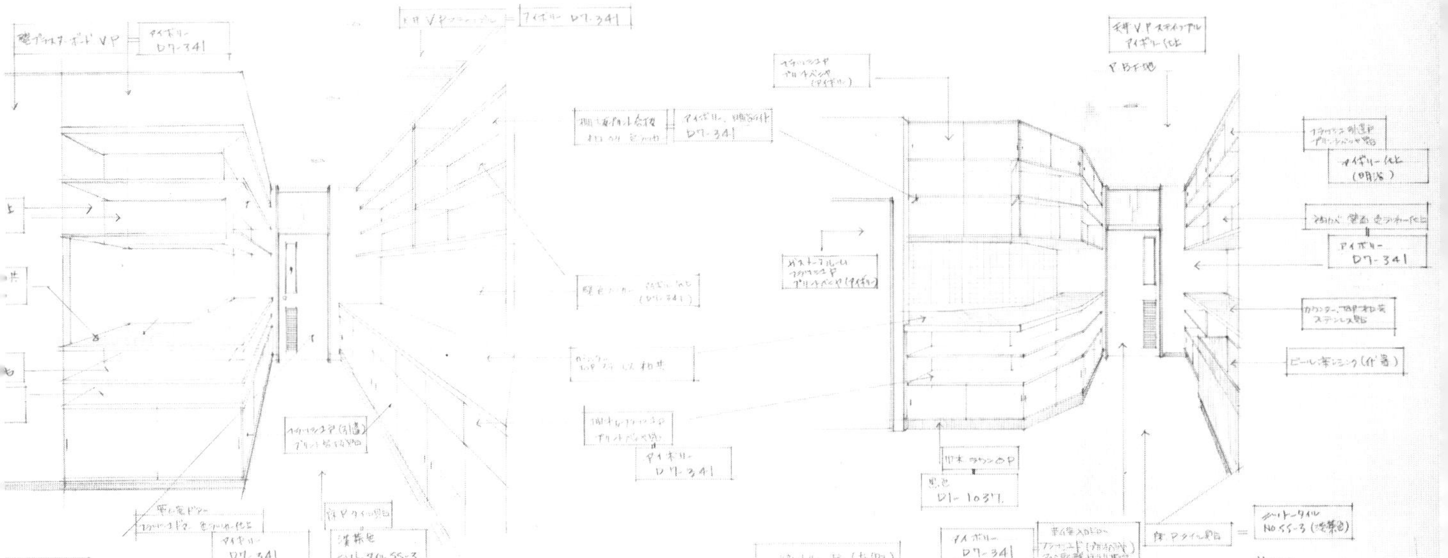
アイボリー
D7-341
アイボリー
D7-341
アイボリー仕上
(明るく)
アイボリー
D7-341
カウンター天板 ステンレス貼
ビール洋シンク(作番)
アイボリー
D7-341
ボックス A (右)
ボックス B (左側)
(注記)

❶某デパート売場計画❷大阪市❸(株)千伝社❹(株)辻本デザイン事務所・岩瀬伸一・長尾光芳

❶牛屋❷東京❸(株)田中建築設計事務所・田中四朗❹ヒューマンファクター

❶資生堂化粧品売場❸(株)ヤシマ❹ドーン工房・深沢千賀子

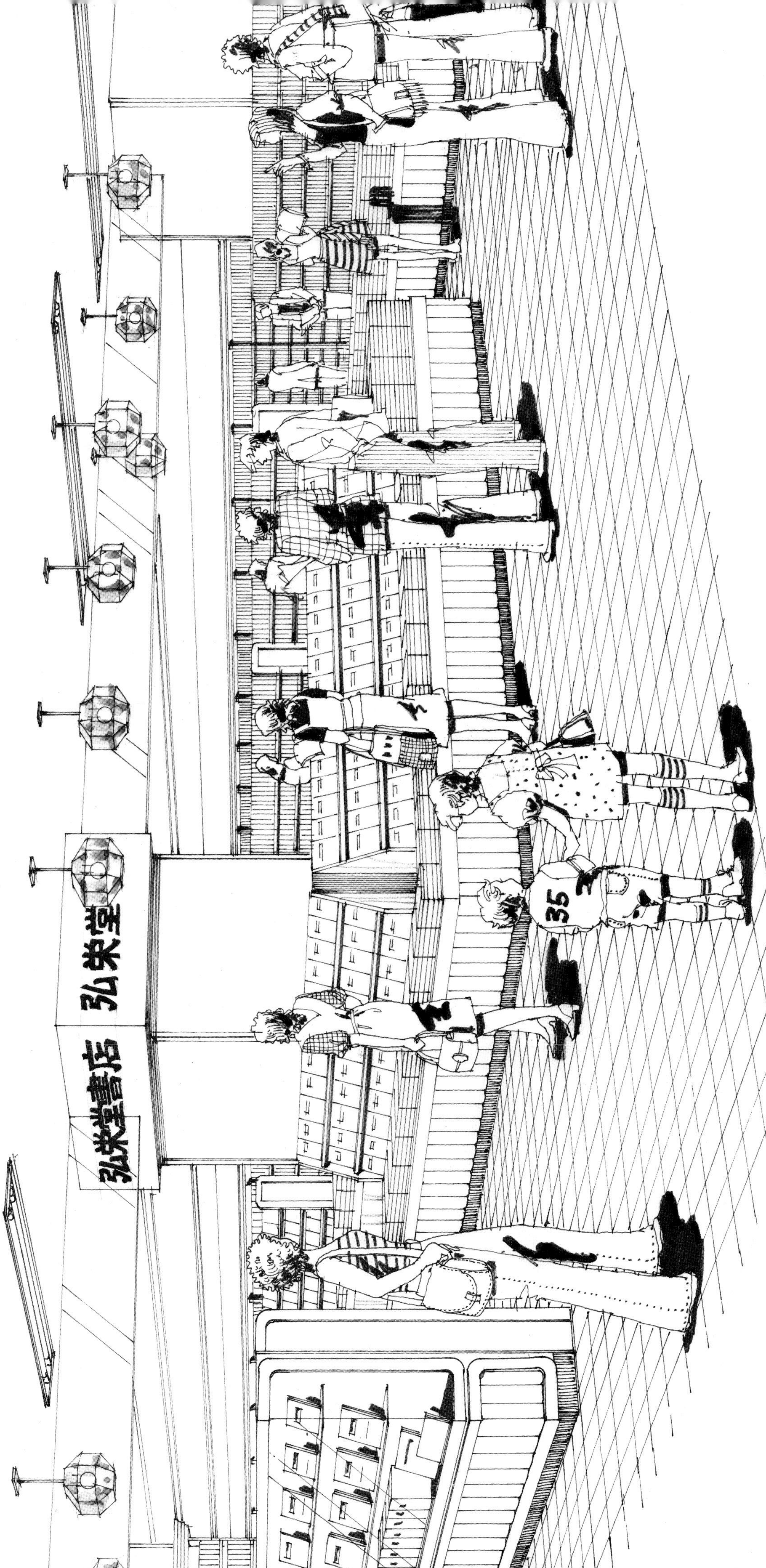


❷弘栄堂書店新宿店❷東京・新宿❸❹ニッテン設計事務所・武塙彩子

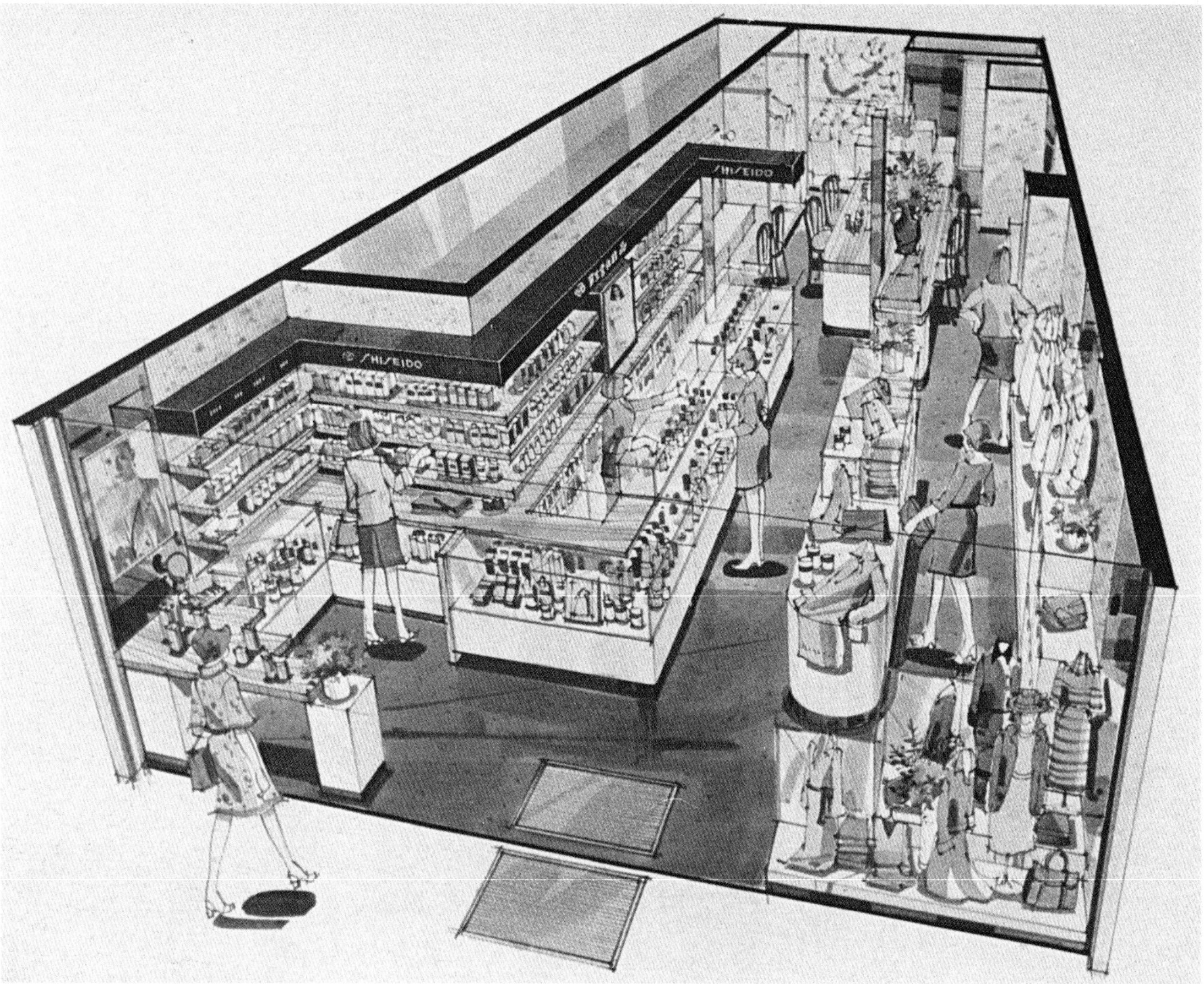


❶資生堂化粧品売場❸(株)ヤシマ❹ドーン工房・深沢千賀子

❶岩崎書店❷宇和島市❸ニッテン設計事務所・遊佐清文❹同・武塙彩子

❶酒処・喰道楽「天邪鬼」
❷東京・両国
❸❹(株)スペースデザイン
一級建築士事務所・武石馨

UPRIGHT
PIANO

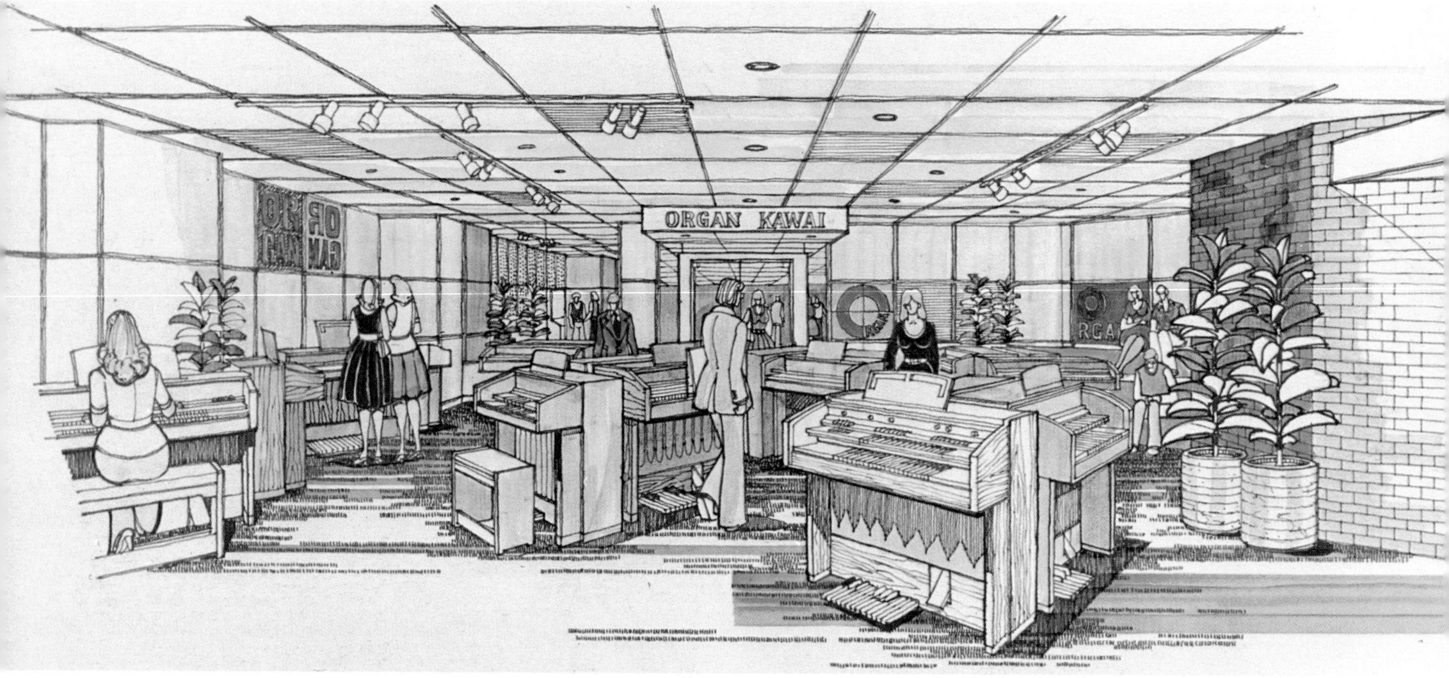
ORGAN KAWAI

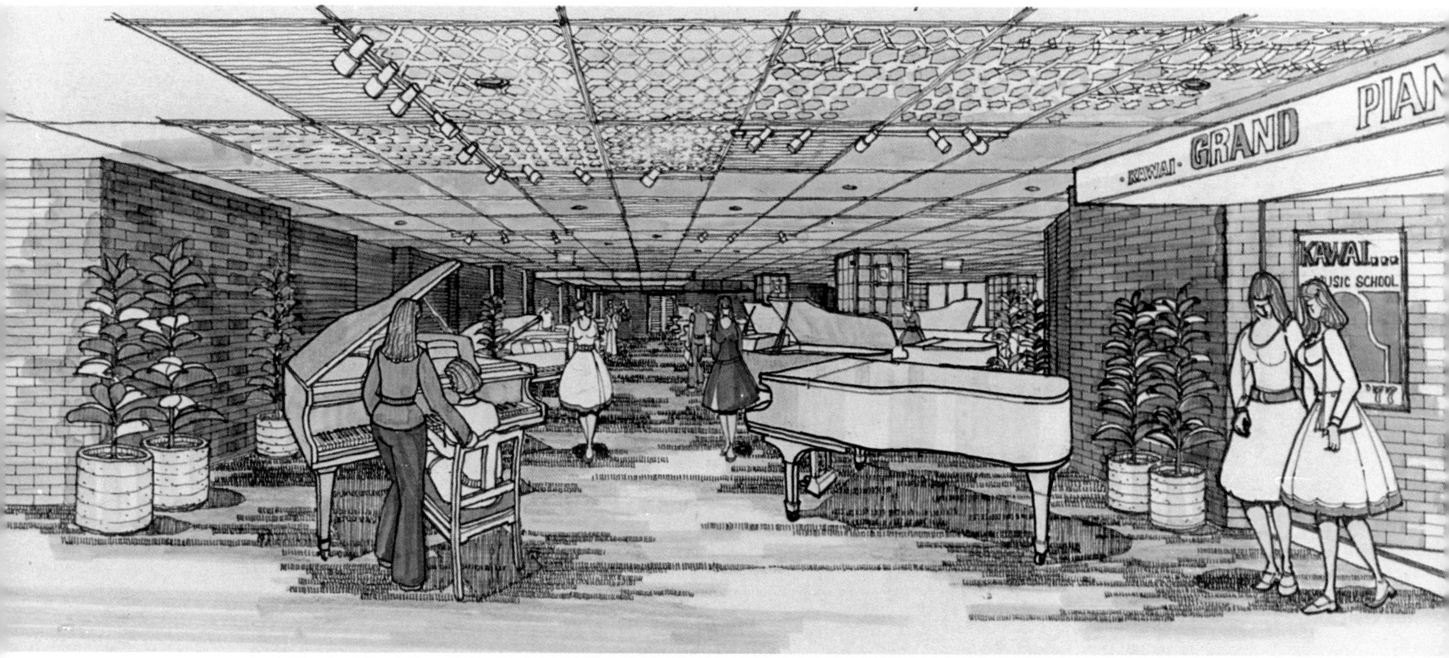
KAWAI GRAND PIAN
KAWAI..

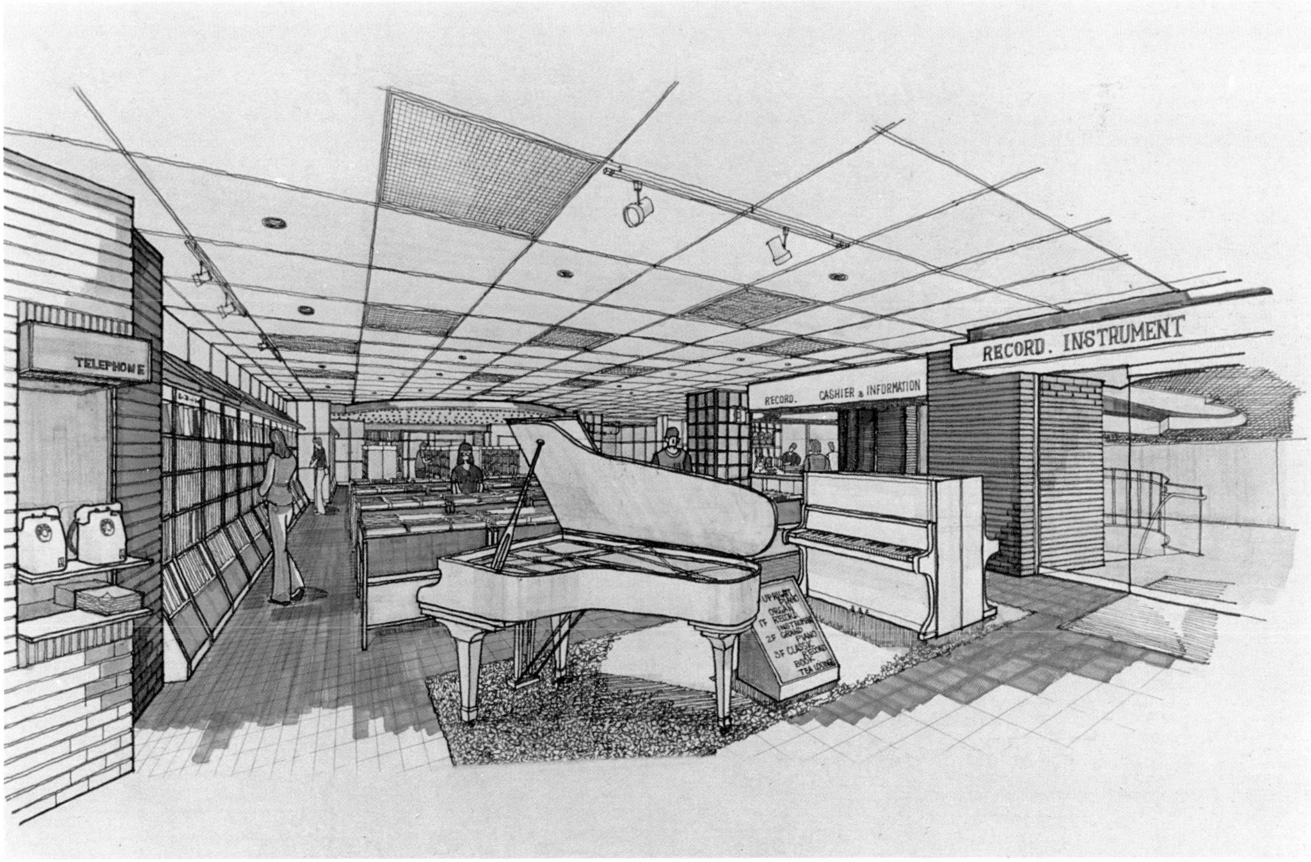


❶カワイ・ミュージックショップ❷東京・青山❸❹大成建設(株)

❶録音スタジオ案❹カフ・アド・ハウス・金沢活

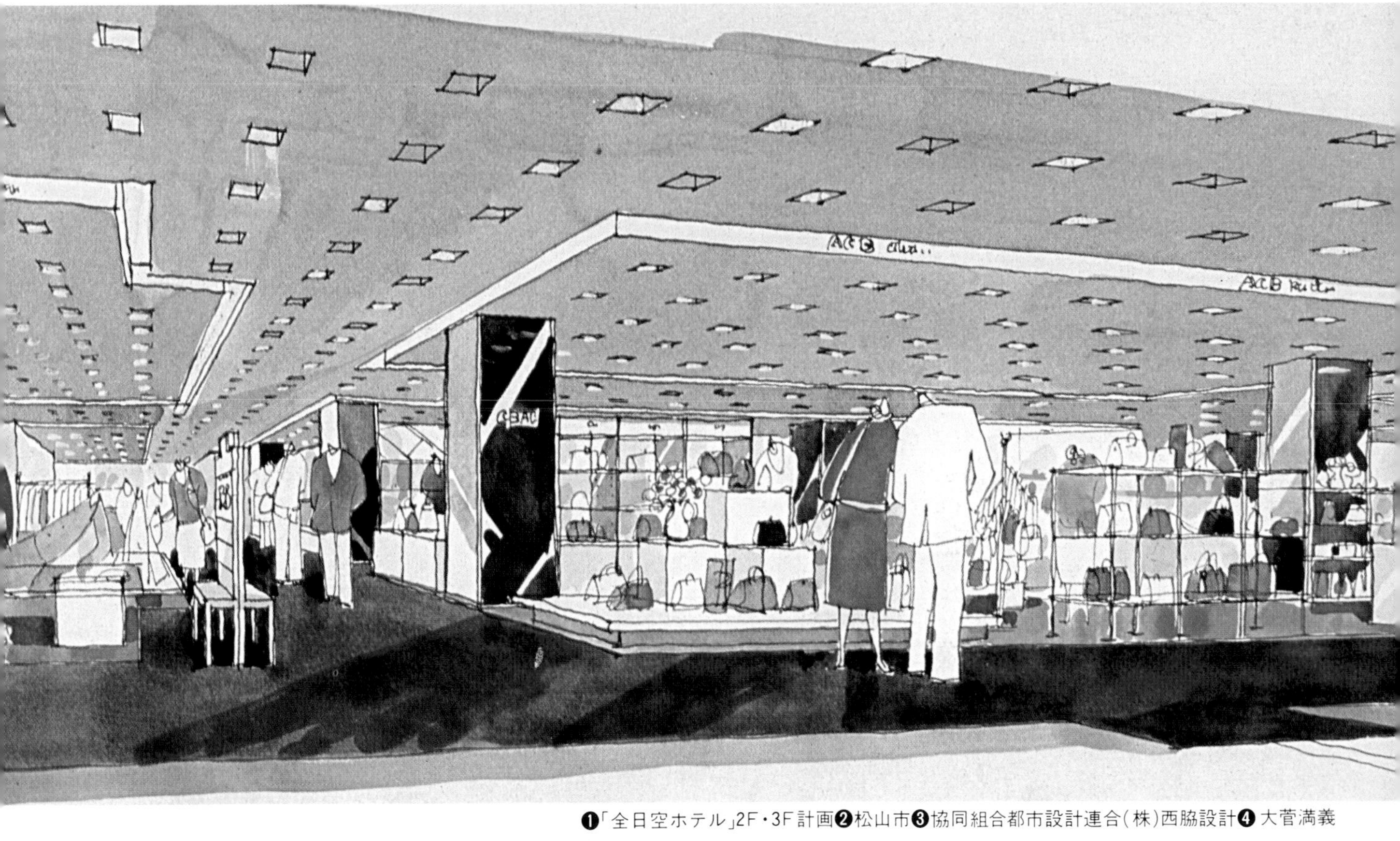

❶「全日空ホテル」2F・3F計画❷松山市❸協同組合都市設計連合(株)西脇設計❹大菅満義

❶「サンリオ」ギフトコーナー❷東京・大丸デパート6Fプリティバンタン❸❹(株)日展・内藤武夫

❶「サンリオ」ギフトコーナー❷真岡市・福田屋デパート❸❹(株)日展・山本泰彦

❶「サンリオ」ギフトプラザ❷柏市・柏ステーションマート❸❹(株)日展・内藤武夫

❶京成百貨店内BI「サンリオ」❷東京・上野❸❹(株)日展・金津秀三郎

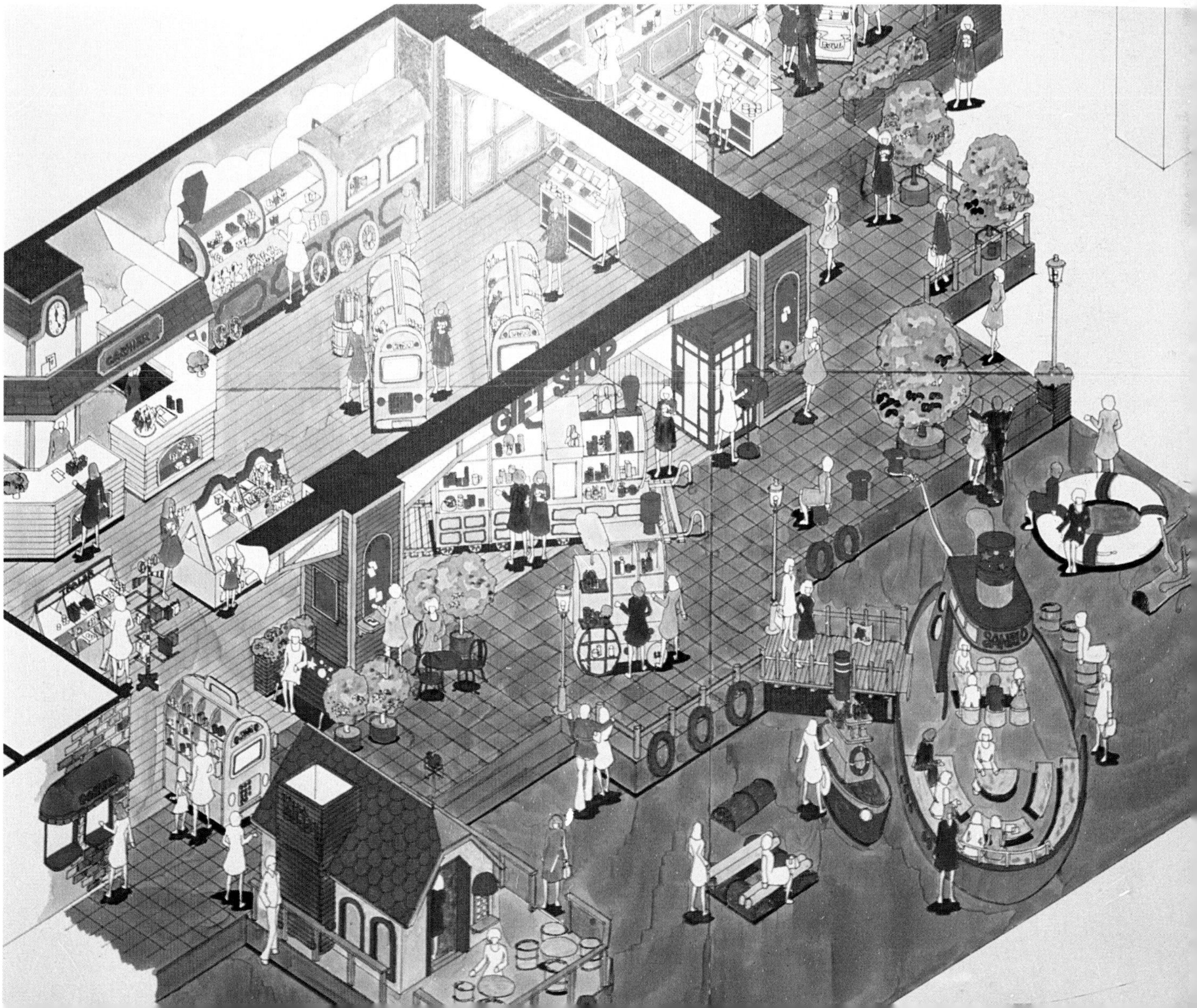

❶某ホテルレストラン❸観光企画設計社❹熊谷常男

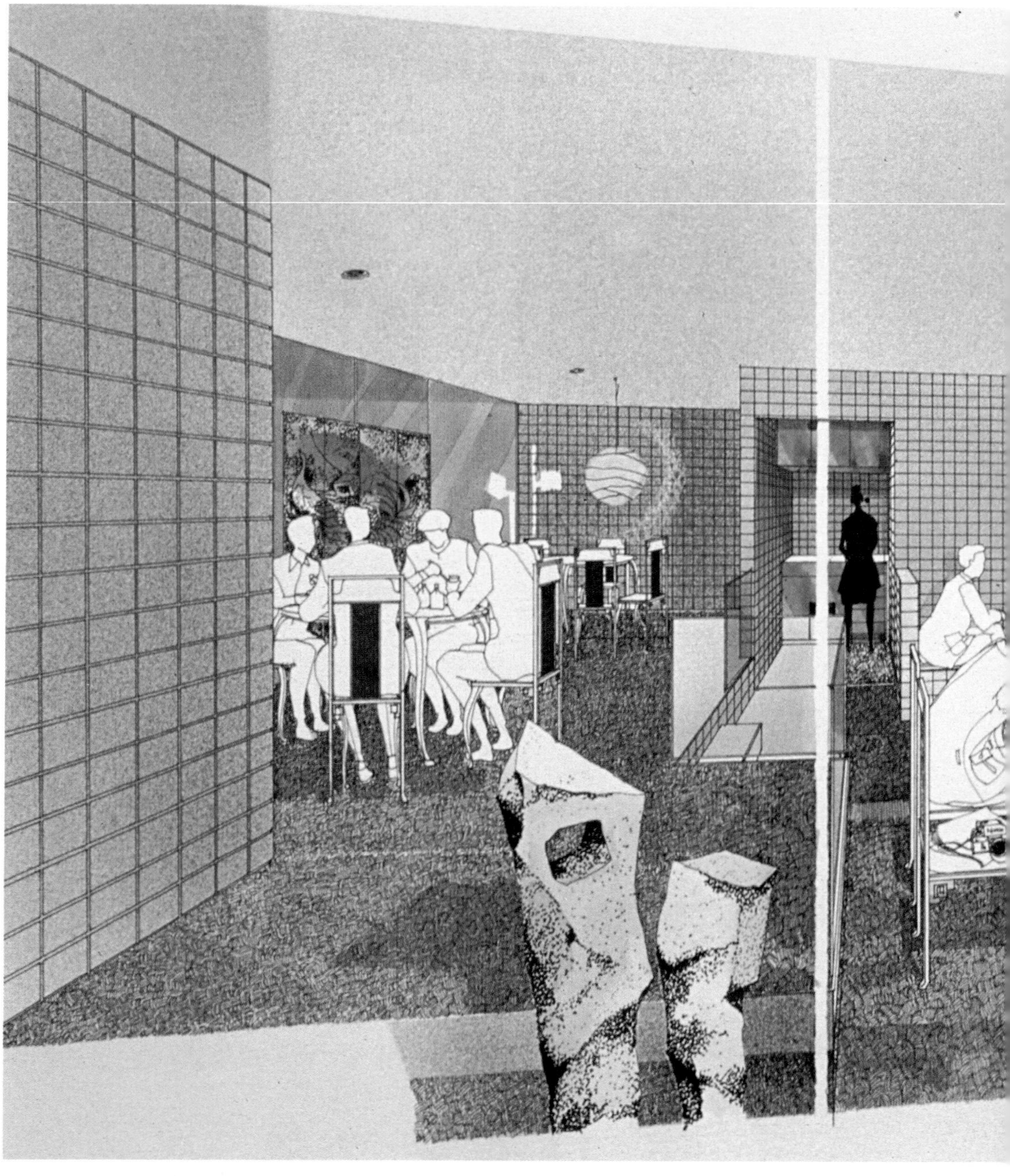

❶某ホテルレストラン❸観光企画設計社❹熊谷常男

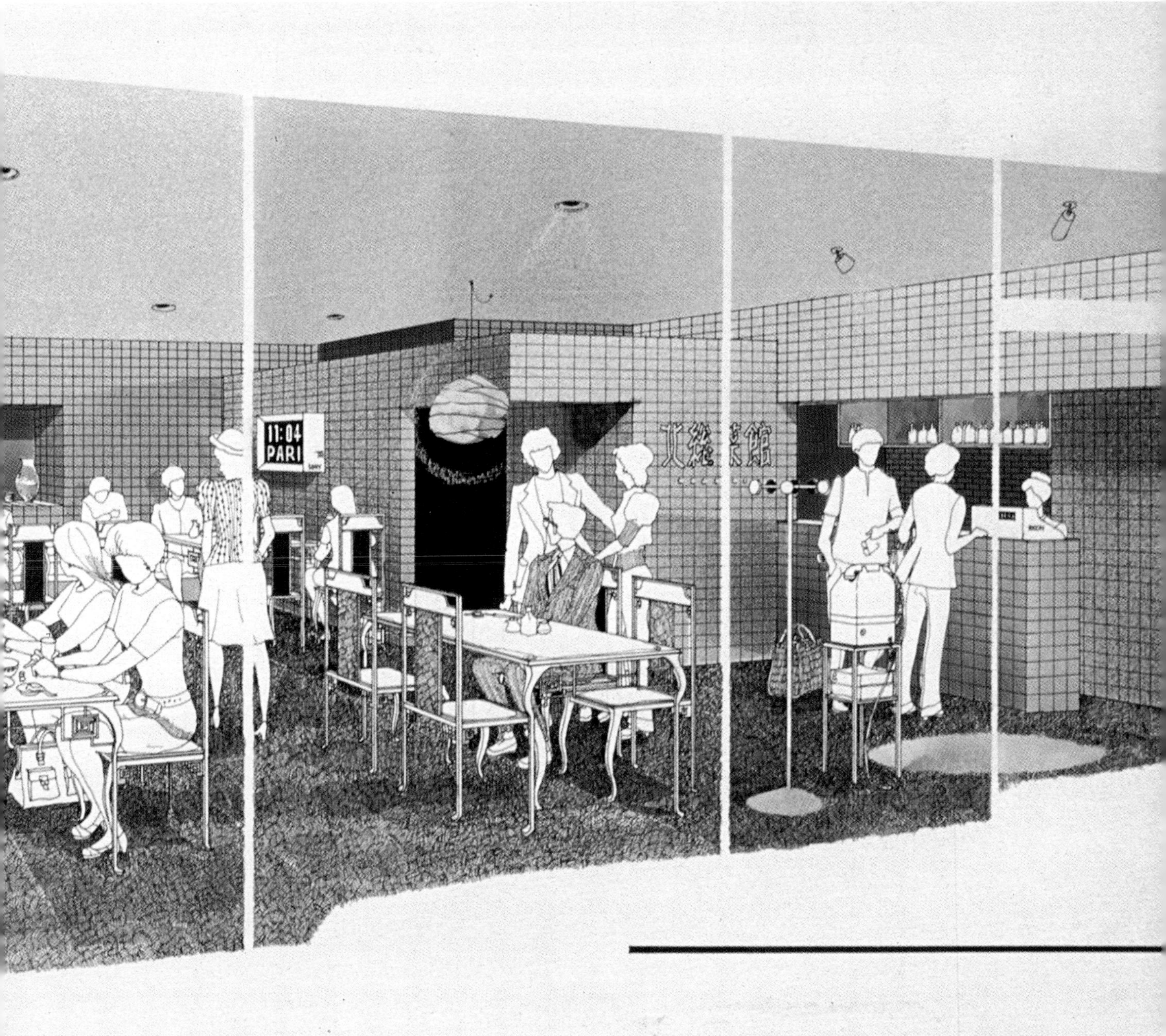


❶某中華料理店計画❸小杉弘一建築設計事務所❹山村憲一

❶某ディスコクラブ❷東京・池袋❸マコム設計事務所❹(株)オズ・アトリエ

❶シャレープラザ❸富士ランド(株)❹(株)オズ・アトリエ

❶クラブ「ミカド」❷札幌市❸生美術建築デザイン研究所❹レンダリングRIYA

❶パブレストラン「ラブリー」❷札幌市❸生美術建築デザイン研究所❹レンダリングRIYA

❶ファミリーレストラン「コンチネンタル」❷堺市❸(株)マキセ美術建築部中井嘉宣❹スタジオウルフ・松村範也

❶COFFEE「おーたむ」❷八千代市❸ニッテン設計事務所・福岡信義❹同・武塙彩子

❶ブティック計画❸ラカム設計❹フジノデザインルーム・藤野健二

※❶レストラン計画❷サウジアラビア❹フジノデザインルーム・藤野健二

❶ロンドンスクエアー内喫茶店❷刈谷市❸(株)末徳豊田営業所❹同・三田博己

❶珈琲「ボン」計画案❷安城市❸(株)末徳豊田営業所❹同・三田博己

❶デパート内レストラン❷東京・新宿❸平野CAC❹(株)福田デザイン

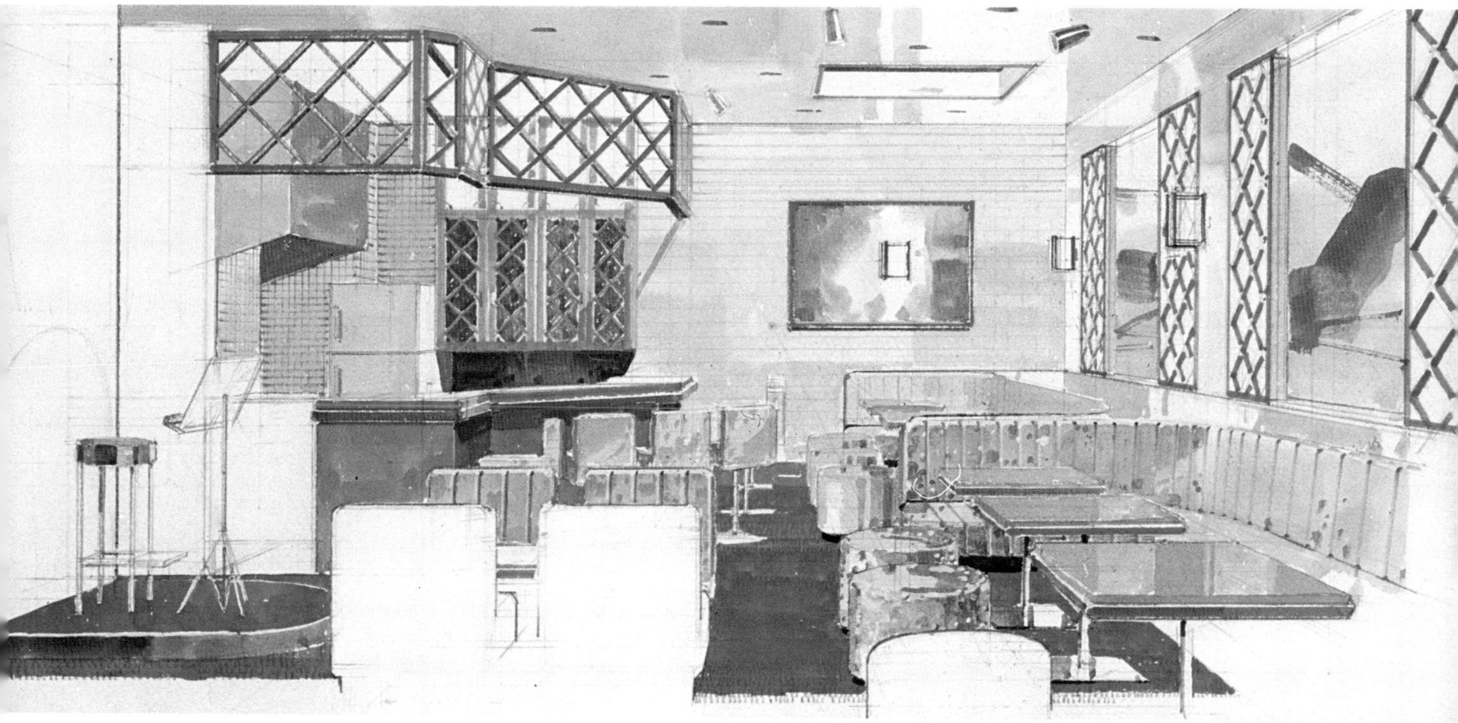

❶スナック「ランタン」❸マイプロデザイン❹(株)オズ・アトリエ

❶喫茶「ホーマー」❸(株)タツカミ創作室❹(株)辻本デザイン事務所・辻本達広

❶「ワイキキ・リゾートホテル」ティルーム❷ハワイ・ホノルル❸ JOHN & ASSOCIATES I.N.C❹松鷹一海

❶「ワイキキ・リゾートホテル」ティルーム❷ハワイ・ホノルル❸JOHN & ASSOCIATES ·I.N.C❹松鷹一海

❶スエヒロ❷沖縄❸岩田アトリエ❹(株)福田デザイン

❶カフェテラスK❷東京・原宿❸❹オレンジブック・小椋勇記夫

❶某喫茶店計画棄❷大阪市❸(株)タツカミ創作室❹(株)辻本デザイン事務所・辻本達広

❶珈琲館「和蘭陀館」❷東京・練馬❸(株)白宣建築工芸・尾崎義龍❹浦田武

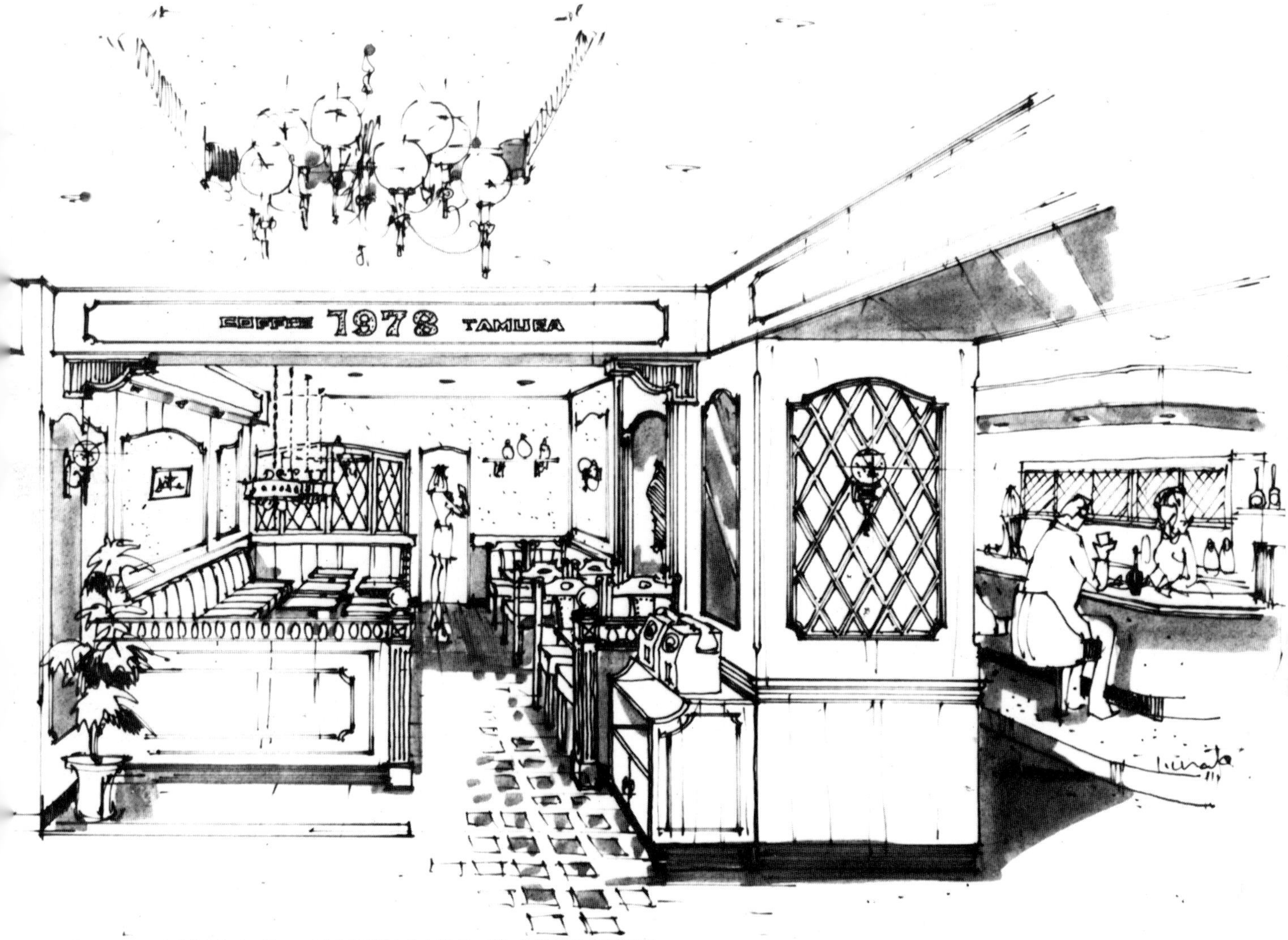


❶スナック喫茶「たむら」❷八王子市❸(株)白宣建築工芸・木村和政❹浦田武

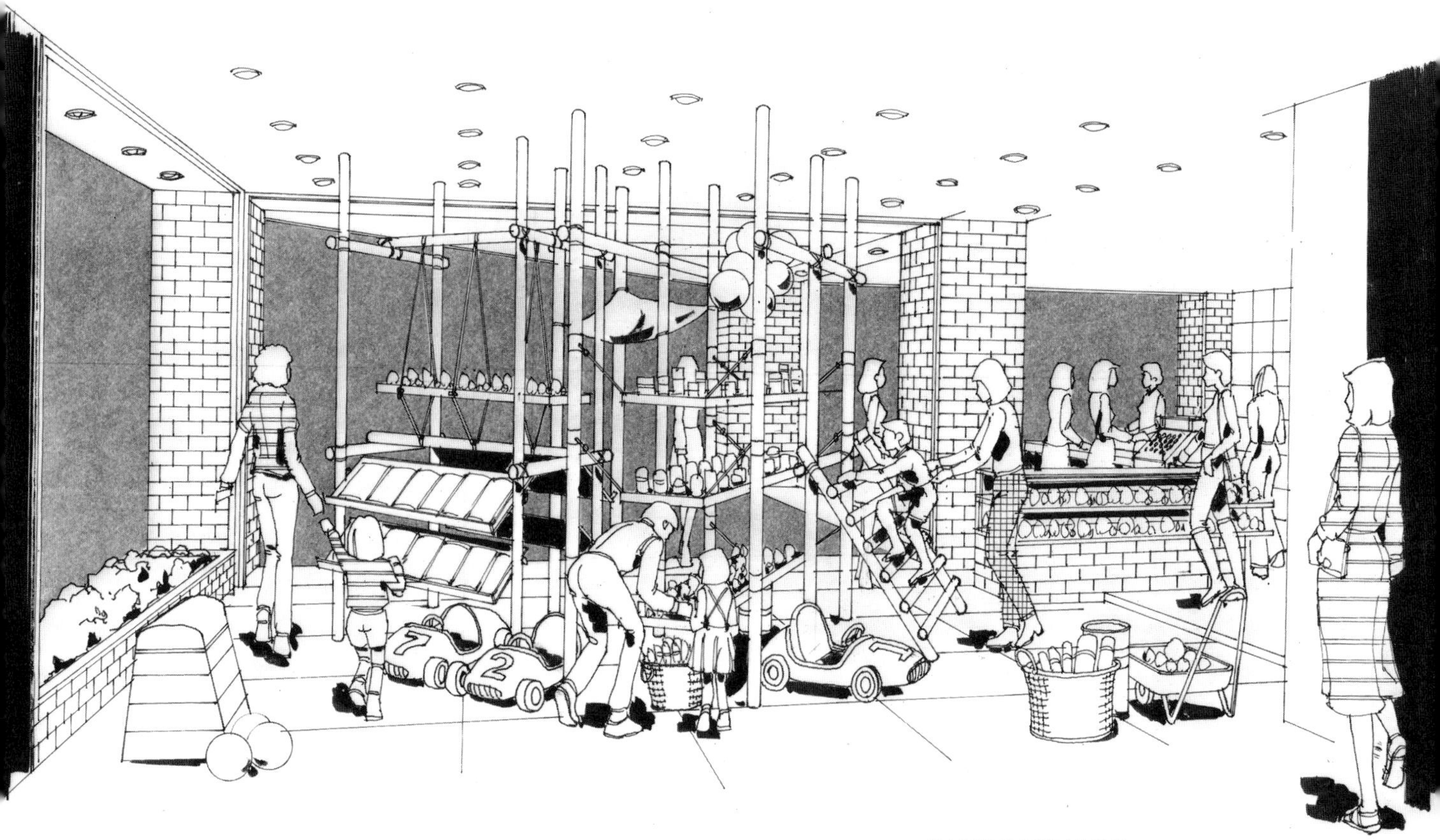

TOY SHOP計画案❸❹ニッテン設計事務所・中原伸光

❶H呉服店❷富岡市❸ニッテン設計事務所❹同・武埼彩子

❶神奈川日産ショールーム計画❸(株)丹青社❹古沢京子

❶ニッサン自動車ショールームプラン❸(株)間組❹ライフデザイン・佐藤秀夫

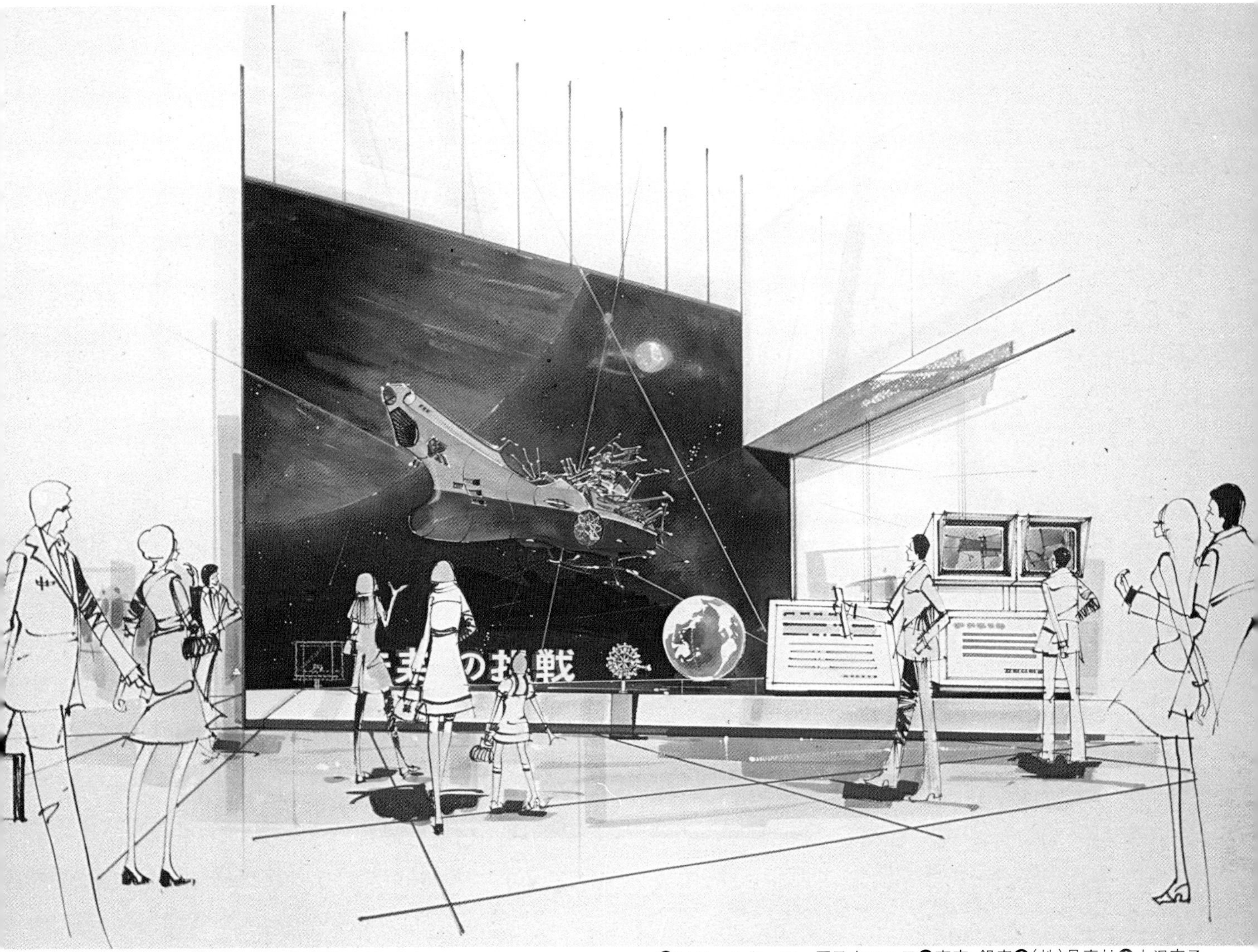

❶ソニースクェアー原子力フェア❷東京・銀座❸(株)丹青社❹古沢京子

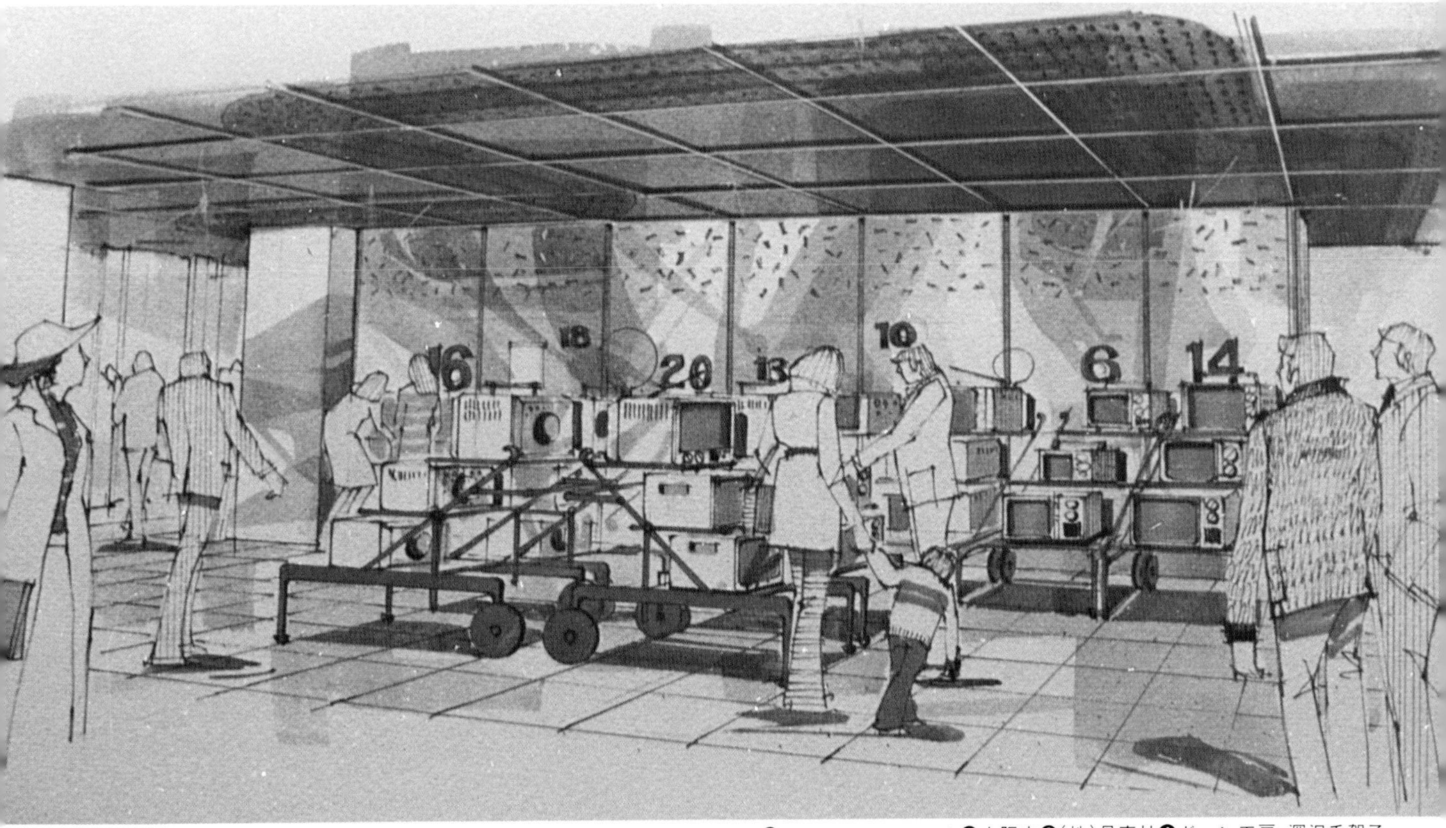


❶ソニーショールーム❷大阪市❸(株)丹青社❹ドーン工房・深沢千賀子

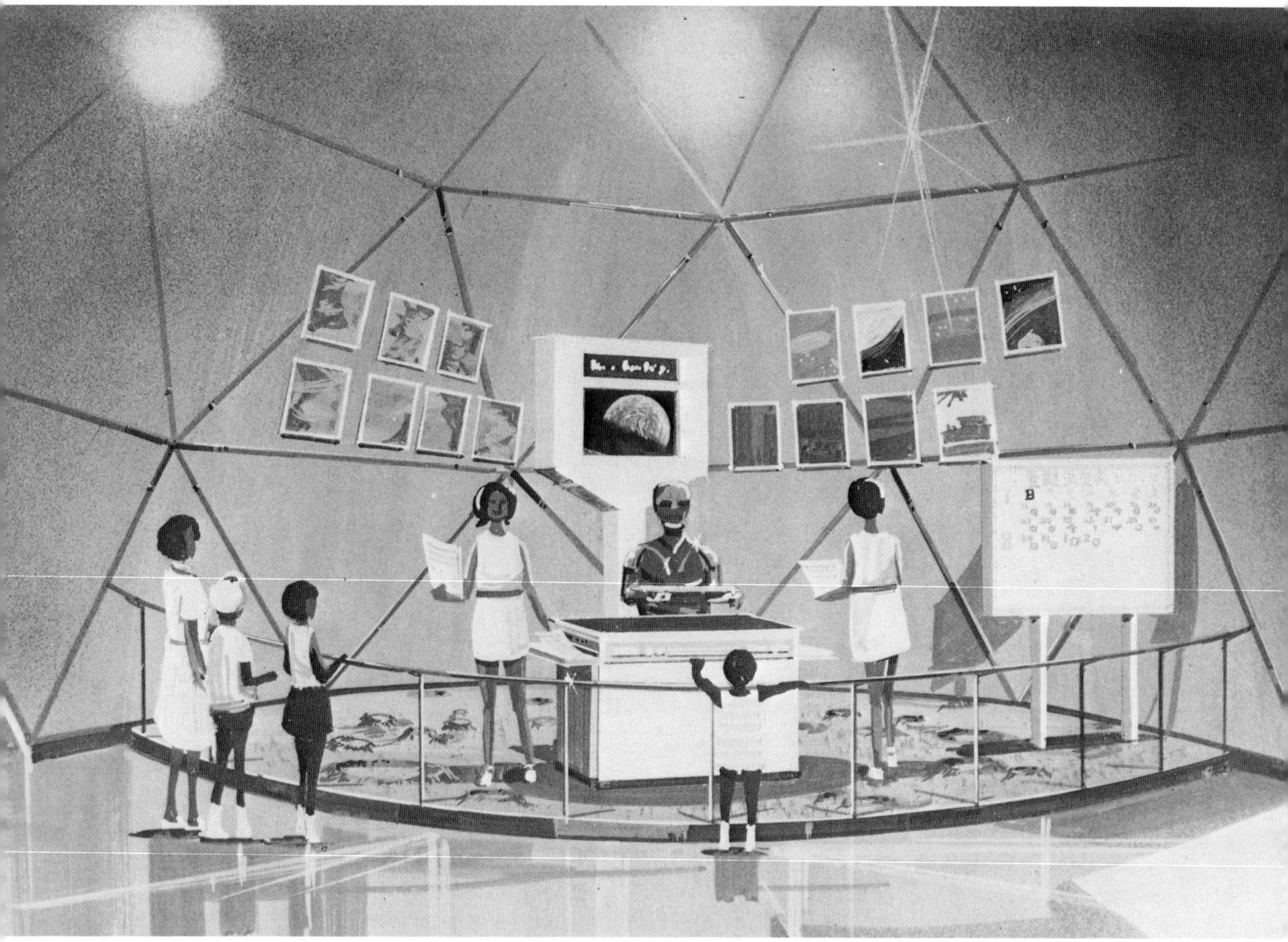

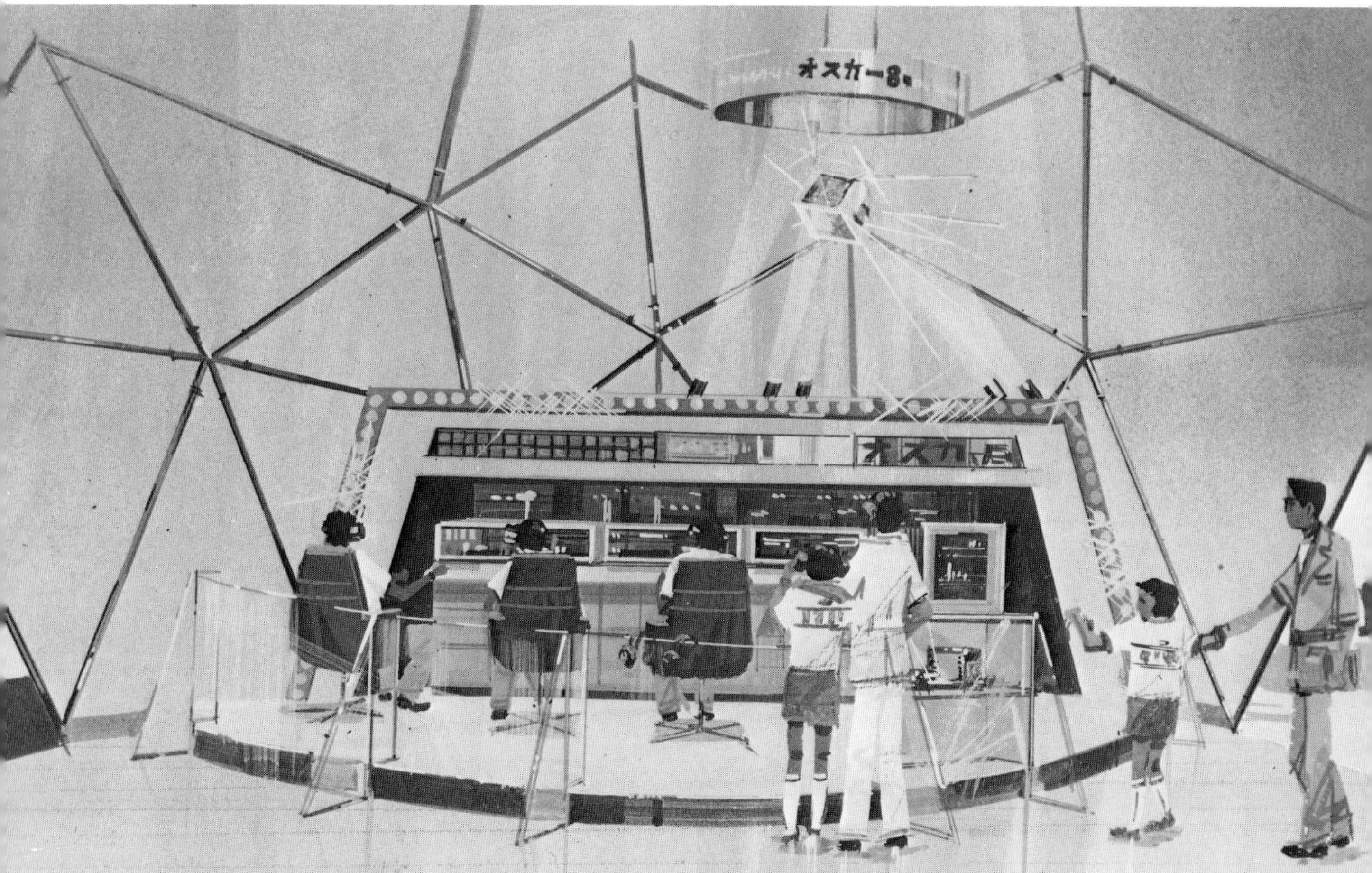


❶宇宙博計画案❹(株)福田デザイン

❶IBM展示場❷東京・晴海❸(株)日展・服部均❹堀田富弥

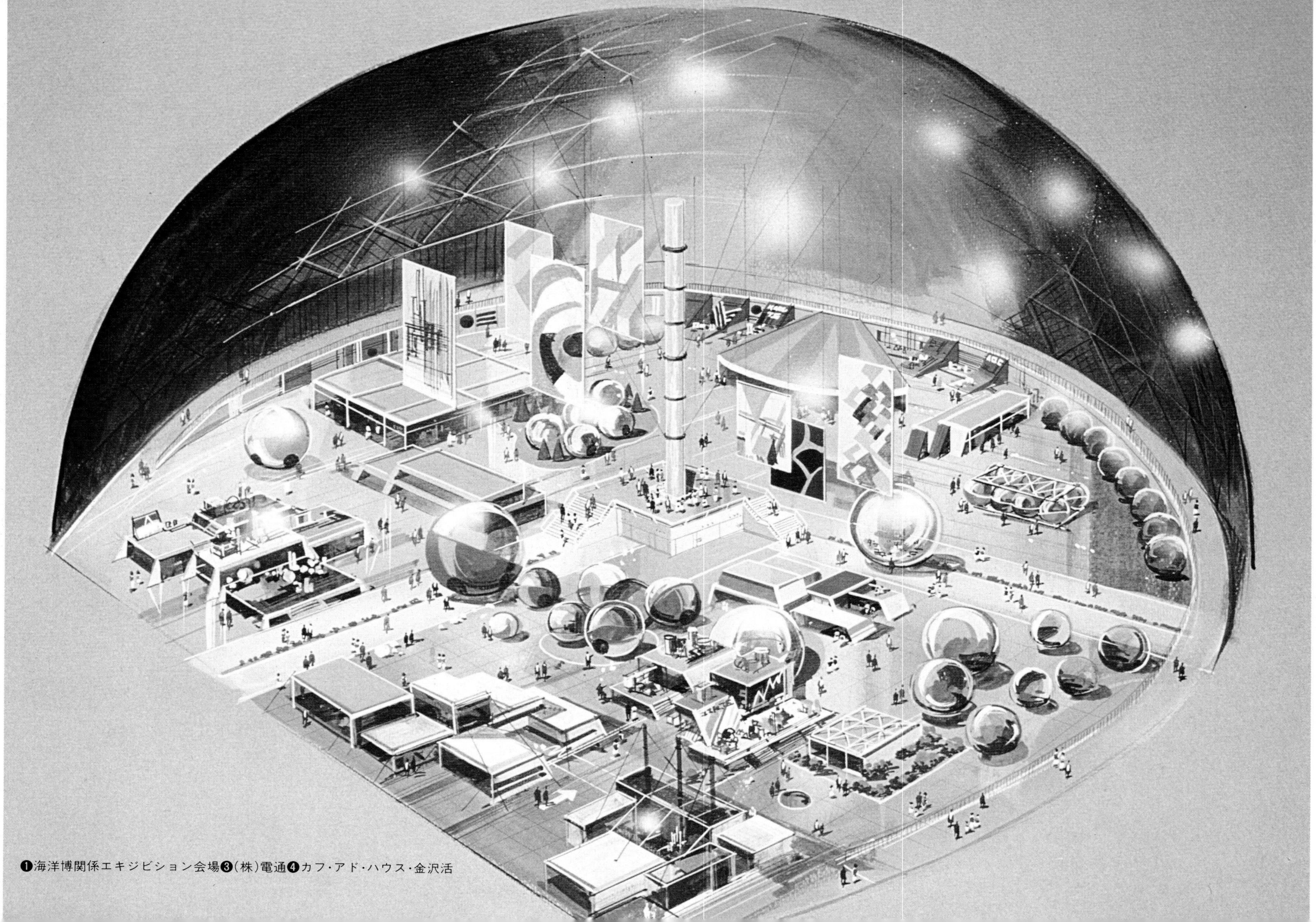

❶海洋博関係エキジビション会場❸(株)電通❹カフ・アド・ハウス・金沢活

❶「サンテリア」ショールーム❷東京・新宿住友ビル❸(株)サンテリア❹ドーンデザイン研究所・水戸岡鋭治

❶Aスーパー❸商業建築研究所❹熊谷常男

❶某ショッピングセンター・パブリック❹オレンジブック・小椋勇記夫

1
2
3
4
5
6

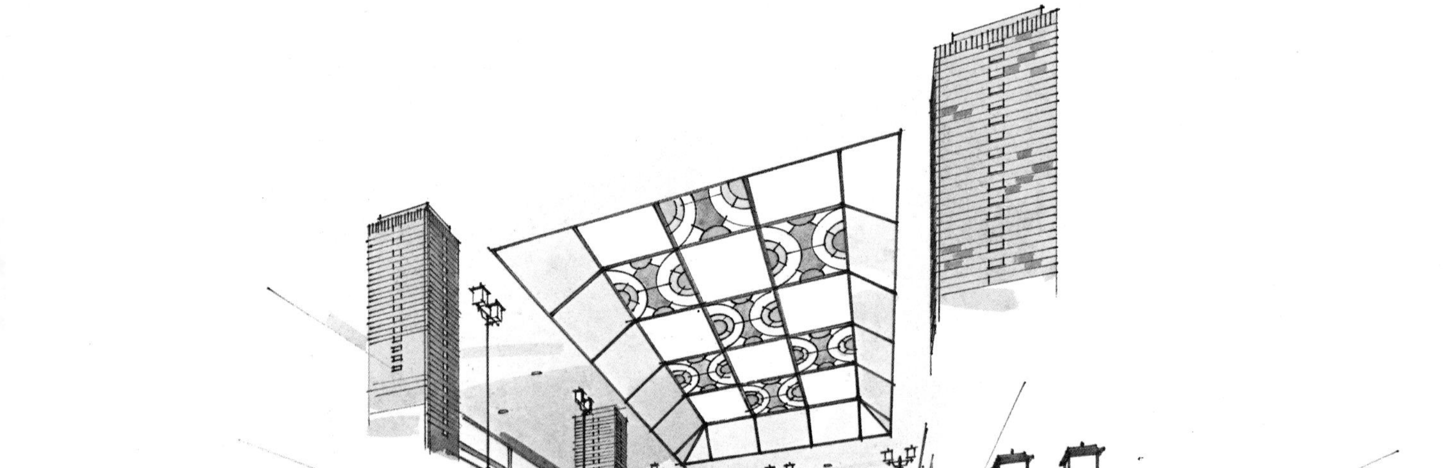

❶Yショッピングセンター❸(株)アルス❹同・福永博仁

❶Yショッピングセンター❸(株)アルス❹同・福永博仁

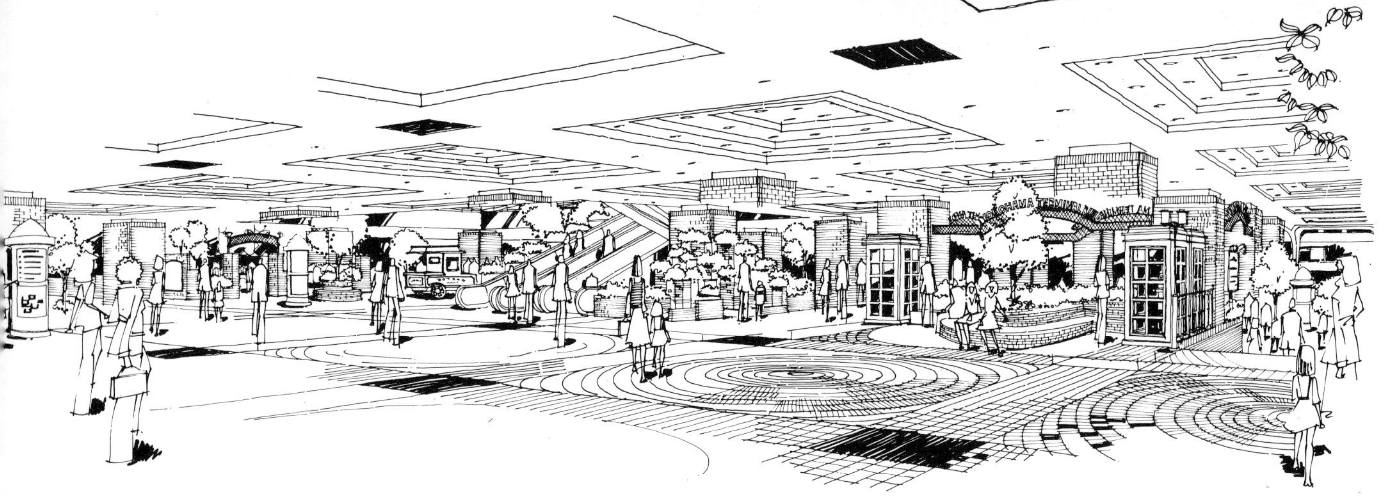

❶Yショッピングセンター❸(株)アルス❹同・桜井輝昇

❶某ショッピングセンター計画❹カフ・アド・ハウス・金沢活

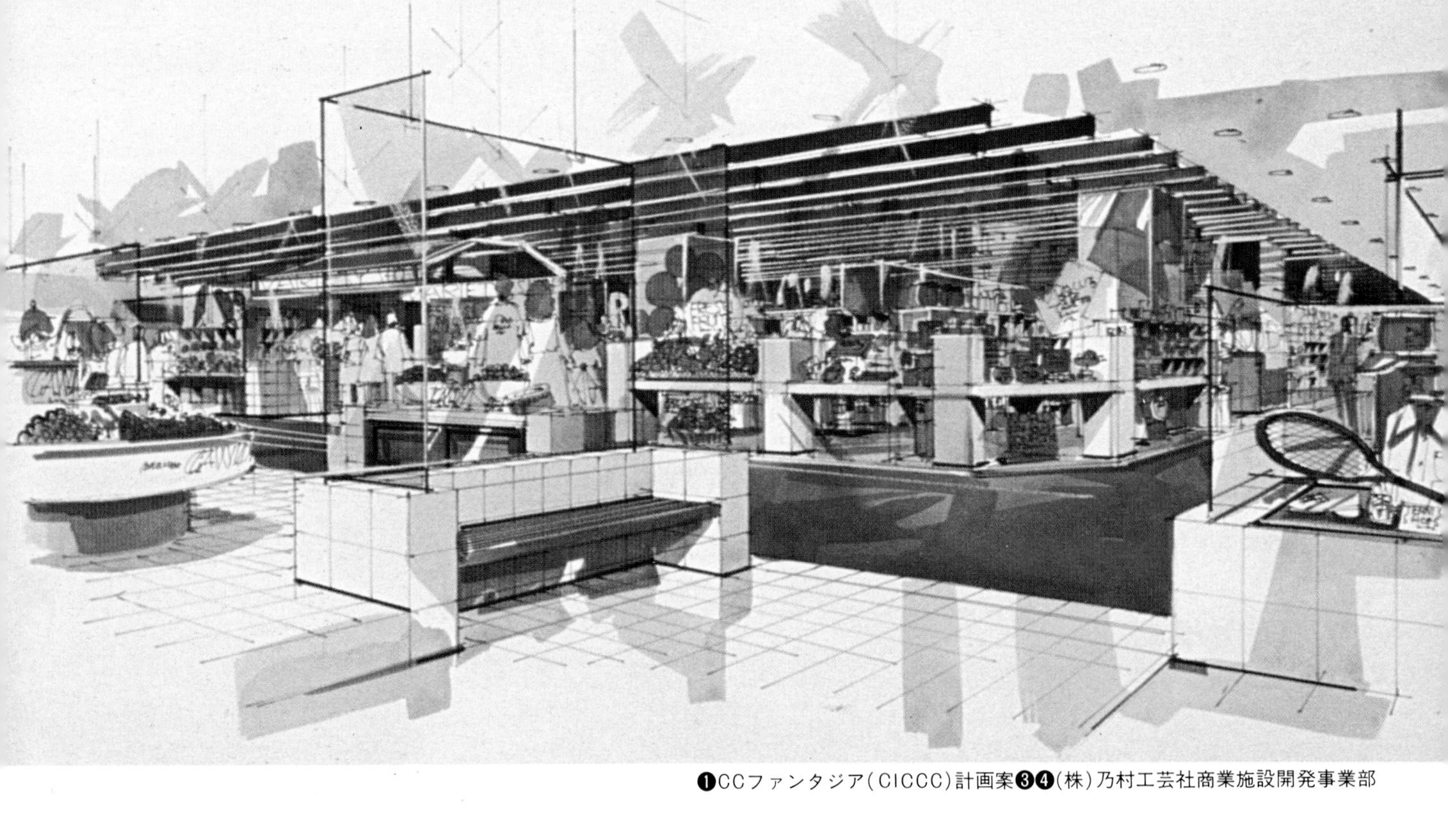

❶CCファンタジア(CICCC)計画案❸❹(株)乃村工芸社商業施設開発事業部

❶津田沼サンペデック❷船橋市❸❹(株)乃村工芸社商業施設開発事業部

❶銀座「松屋」❷東京・銀座❸松田平田設計事務所❹松鷹一海

❶露木コミュニティランド❷横浜市❸❹(株)大林組

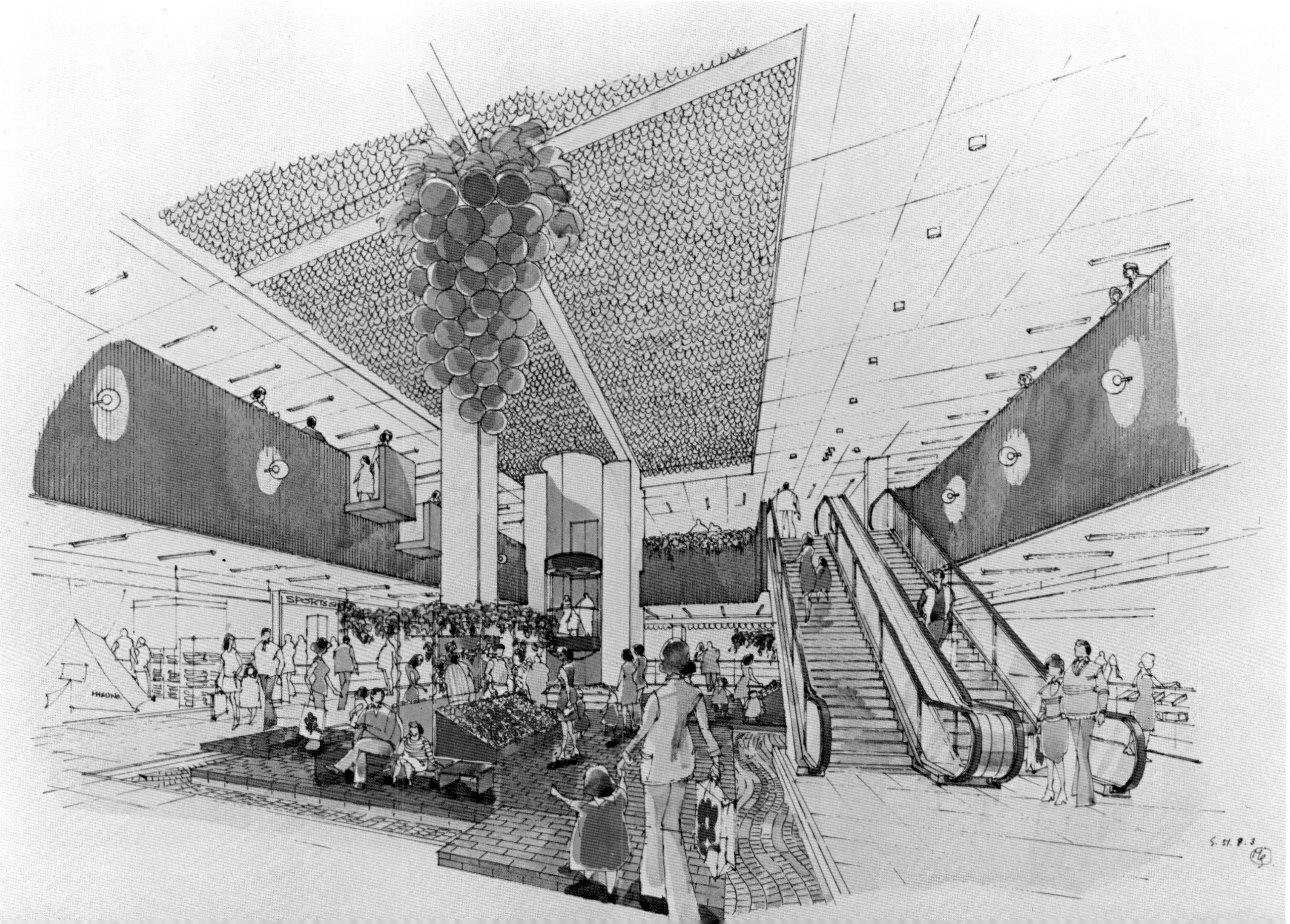

※❶スーパー「ユニー」一宮店エントランス❷一宮市❸大亜建設設計部❹デザインセンターキャップ・吉田勝義

❶BIG　VIVI❷横浜市❸(株)船場SC総合開発研究所(大阪)❹同・笹木秀近

❶Nプロジェクト❸❹(株)船場SC総合開発研究所(東京)

MALL

CENTRAL COURT

2F SUBMALL

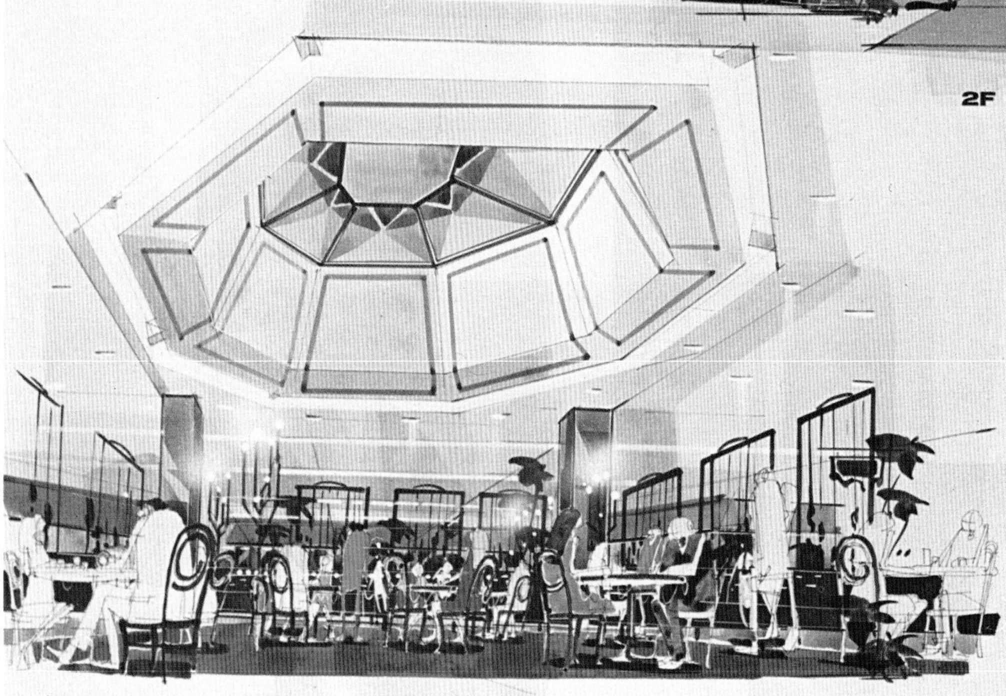

7F CAFE TERRASSE

1F MAIN MALL

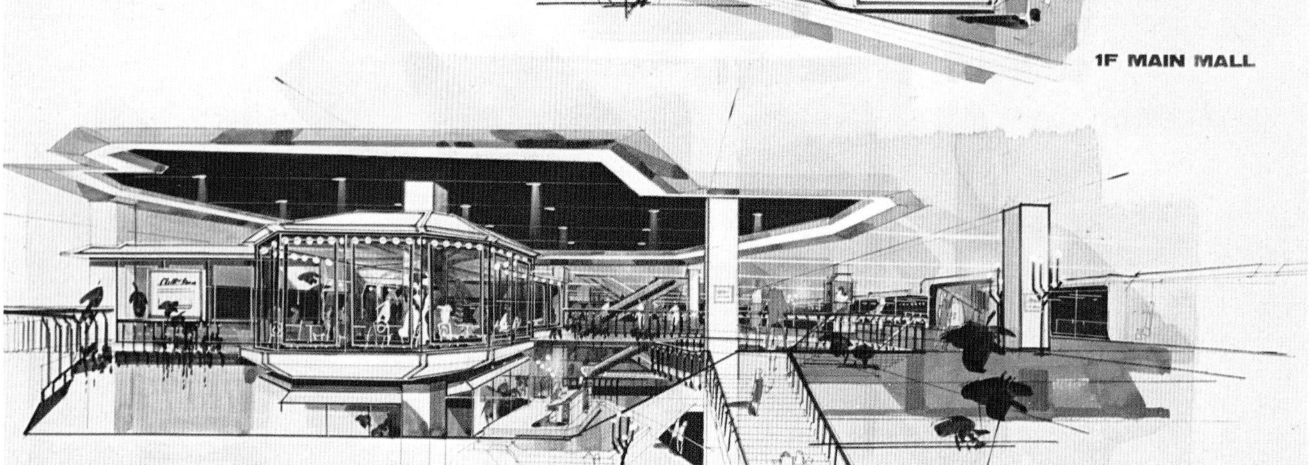

1F PLAZA

❶SUN　PLAZA❷苫小牧市❸❹(株)船場SC総合開発研究所(東京)

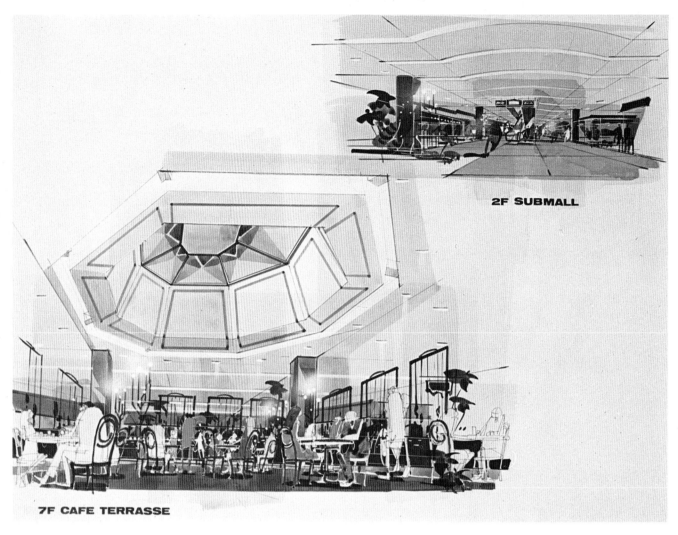

❶シモールしものせき❷下関市❸（株）大林組本店❹（株）辻本デザイン事務所

# トータル・デザインとしてのパース　辻本達広

私は、暇があると御堂筋を歩いてみる。パースを描くわれわれにとって、御堂筋は、身近に存在する観察地帯の一つである。

建築物が整然と並び、歩道のイチョウ並木、芝生や植込みの移り変りが、まるで舞台が変るがごとく人々を楽しませてくれる。伝統感あふれる古いもの、シックな色彩のもの、真新しい感覚のもの、こうした静的な建築物をバックに色とりどりの車や現代ファッションが行きかい、交差し、一つのドラマを見るようである。こんな御堂筋を、パースを描く視で見て歩くのも実に楽しい。

日頃われわれは、設計図を基にパースを描くことが大半で、すでに存在するものを描くことはめったにない。設計者の意図を十分察知し、把握して取り組んでも、何か物足りない軽いものに思えてならないのは、やはりパースには表現し難い実在感というプラスアルファーの違いだろうか。悲しいことに、私のような凡人にはなかなか難しいものだが、これからの課題として挑戦していくつもりである。

さて、パースに取り組む一人として、パースの制作にあたって、私なりの知識と注意事項を簡単に添えるのであるが、パースについての技法や解説はすでに数多くの出版物があるので、ここでは紙面制限上割愛させていただく。

まず、パースの必要性、役割り性から使用される目的をよく考え、誤りのない表現方法をとらねばならないということだ。もともとパースは、主としてオーナーのための完成（予想）図としての役割りが多かったが、近年は、建築家向けのスタディパースからプレゼンテーション用として、第一段階でのパース、第二階段でのパース、さらに第三段階と表現も高まり、決定的な段階に入ると表現方法はもちろんのこと、提出方法（演出）もこれと並行して大切なことはいうまでもない。従って、仕上げられたものを額縁に収めて提出といった従来の方法から、パネル貼りの上に透明ビニール貼り、あるいは透明アクリル板をビスで止めて表面を保護し、額縁でないすっきりとした平面感覚的なものにする方法、また、スチロール板やイラストボードなどの厚紙に貼り付けたり、アルバムやファイル（市販品）などを使用し、図面や写真、レポートを添えたりしてする方法もある。コンペのためにある程度離れた位置から見せるもの、手近に見せるもの、また、スライド演出などと演出方法も多種多様である。こういった中から、より効果的な方法を採用することが望まれる。

次に、描こうとする建物なり施設の画面に対しての大きさ、見る角度（方向）や視線、本体以外の点景物とのかかわりを、ラフスケッチの段階で十分バランスをとることだ。パースの良し悪しが、まずこの時点で大きく決まるのは言うまでもない。この場合注意すべきことは、設計者の意図に添うべきで、アングルの美しさ（マスートさ）だけで決定すべきでない。つまり、北面（影面）を画面の正面にとることはなるべく避けるということである。

着彩のテクニックを大別すると、濃・中間・淡と分かれるが、いかに密度ある中間色を使いこなすかが問題だ。合わせて、陰影にも明るい部分にも、明るさの強弱があり、影の部分にも影があり、明るさがあることを強調することである。また、色彩には寒色と暖色があるが、その中にも、甘味・苦味・渋味を使い、適度な濁りを加えることである。

着彩の調子が決まるのは、窓（ガラス面）の表現いかんである。これは、透明ガラス、ブルーペン、ブロンズペン、グレーペンに大別できるが、近年はミラー的性格のもの、カラーペン等新材料の進出により復雑多岐にわたる。特に材色にとらわれず、壁面や建築全体の色彩の調子を考え、点景や隣接する建物等の反影色もありうるため、建物自体に溶け込んで、ガラスの性質感が表現されていれば十分である。

窓面と同様、他の部分でも透明感を必要とする材質箇所は、普通、透明水彩絵具（ニュートン水彩）を使用する。発色が良く、水を含ませるとどんどん透明感が出るが、塗り重ねが難しいので要注意である。非透明感部分は、不透明水彩絵具

(普通はポスターカラーを用いる)を使用するが、私はホルベイン水彩をあまり水を含ませずに使っている。ただし、ホワイトのみのポスターカラーである。従って、ニュートン水彩3に対し、ホルベイン水彩7の併用着彩である。ホルベインの場合は、半透明感が効果的であるうえに、塗り直し、塗り重ねが透明水彩に比べ、極めて容易でダイナミックなタッチや適当な純度感を出せる。また、絵具はパレットに収め、筆で取り出し、練り場で混ぜるのがふつうだが、パレットはあくまでも絵具の取り出し台であって、私は、画面上で混ぜ合わせながら色の変化をつけている。

用紙は、パースの場合、やむを得ず塗り直し、重ね塗り、洗い落し等がたびたびあるため、耐久性の優れたキャンソン紙を使用している。

さて、建物が八分仕上がりの段階で点景に入るわけだが、点景には空、雲、人物、道路、自動車、樹木、山、海、川、隣接する建物、施設といろいろあるが、点景はスケール感や環境距離感を出す役割りを果すことはいうまでもない。

描こうとする建物は、当然静的なものが多いが、点景物は動的なものが多く、従って、自動車を描くことにより横のバランスを、樹木により縦のバランスをとることができる。これらの点景物のプロポーションを的確に盛りこむことにより、画面にリアル感を与え、動きを与えることができる。テクニック一つでリアルにも抽象的にもなり、興味深いパースとなる。

形を確実につかむ訓練を常に怠らないことはいうまでもないが、一般的に透視図法をマスターできたということで、パースに対する理論を取得したと解釈している人がいるが、私なりの持論では、図法はあくまでも寸法なり条件を間違いなく見とどける基線であり、形をつかむたよりでしかないと思う。だからといって、図法を無視することはできないが、図法をマスターするとともに、形を確実につかみ、物をたえず美しい角度から視る癖をつけることが大切である。

それから、着彩のタッチでは、特に動的なもの(空、雲、車、人物、樹木ほか)は、静的なものに比べ表現が難しい。

❶某近隣センター計画
❷堺市
❸(株)大林組本店
❹(株)述本デザイン事務所

従って、表現はリアルであっても、ある程度抽象的(省略的)なタッチで描くことで、点景に密度があり、力強さがあっても、画面の中心的存在である建物、施設に個性味を加え、優れたパースが仕上ると考えている。

建物などは、注文により施工されていた時代と違って、集合住宅、マンション、建売住宅、テナントビル……とあらかじめできあがったものをユーザーに提供するといった今日では、当然、ポスター、チラシ、パンフレット、新聞広告などで多種多様なパースが一般の人の目に触れる。その中でサインデザイン、レタリングの揮毫など、付属物の程度の低いもの、あるいは人物、自動車など、点景物のスケールが著しく誤ったものがたびたび見られる。パースの需要の増大にともなって、パーサーが増大したともいえるが、このようなことがパース界のレベルダウンにつながっているのは現実である。

パースに対する程度は最初に述べたごとく、オーナーのための完成予想図としての目的が大半であったために、下請けどまりといった、隠れた存在が多かったが、前記のようにプレゼンテーションが競われだした昨今、急激にレベルの高いパースが要求されるようになった。本来、パーサーは、建築や施設に対しての知識のみならず、設計力、色彩、サインから助成物のデザインに至るまで、トータルなデザイン力と表現技術を持ち合わせているべきであると思う。少なくとも、プロパーサーの場合、エクステリアは良いがインテリアは駄目、鳥瞰は苦手、プランや仕上材料、色彩計画等の相談には乗れない、レタリングなどは苦手というのでは、従来型で終わってしまうだろう。

ややＰＲ的ではあるが、私どもの事務所では、建築デザインをはじめ、店舗、インテリア、サイン、グラフィックデザインと、パースの制作を並行して取り組んでいる。

最近、イラストレーターによるパースや独自の作風パースの出現は、従来型のパースに刺激を与えている。本書を含め、書籍出版の助力やパーサーの団体活動が、パース界の確立につながり、ひいては、ユーザーのより高い要求に応じられることになるだろう。

**〈辻本デザイン事務所代表〉**

❶カントリーハウス❷愛知・扶桑町
❸(株)末徳名古屋物販事業部❹同・近藤範

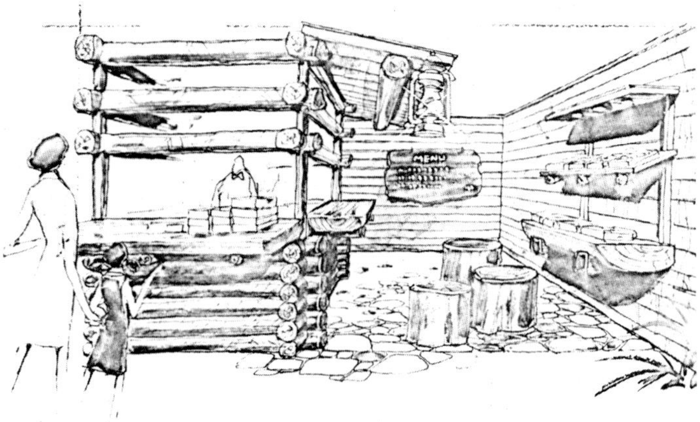

FOOD SHOP

フルーツ

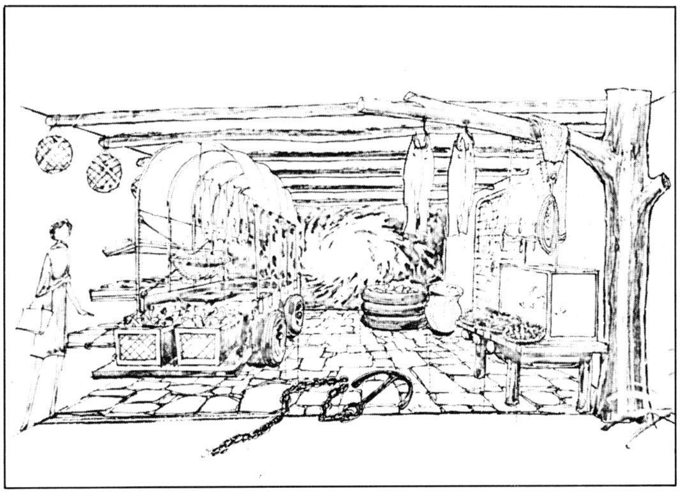

FISHER
MAN
USA

MEAT

manufacturing meet

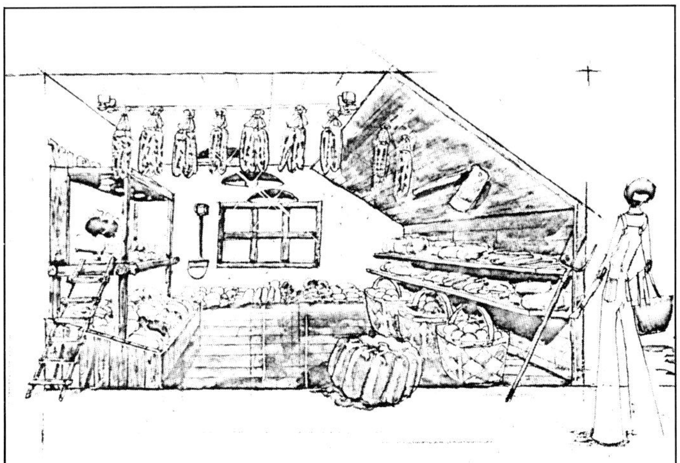

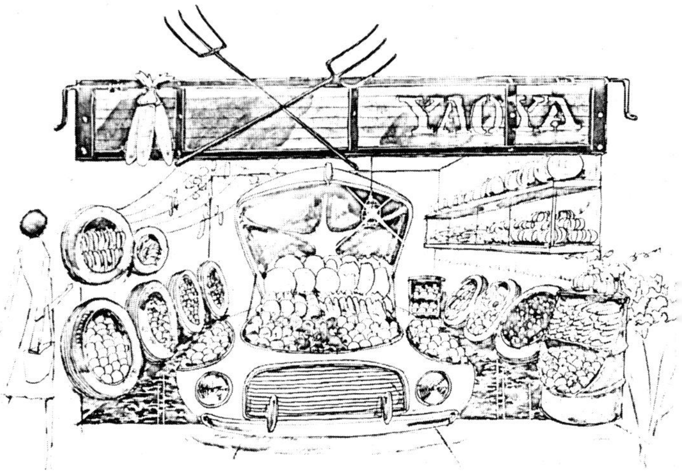
YAOYA

❶郊外ショッピングセンター計画案❸(株)赤松店舗研究所❹龍明デザイン事務所・龍明

❶某ショッピングセンター計画❸❹大菅建築デザインルーム・大菅満義

❶某ショッピングセンター内パブリックスペース❷仙台❸❹(株)アド・スペース・インターナショナル・橋爪義尚

❶横浜ドリームランド商店街❷藤沢市❸杉山建築設計事務所❹松鷹一海

❶ショッピングセンター計画案❸商業建築研究所❹熊谷常男

❶ショッピングセンター計画案❸商業建築研究所❹熊谷常男

❶某ショッピングセンター・パブリック❹オレンジブック・小椋勇記夫

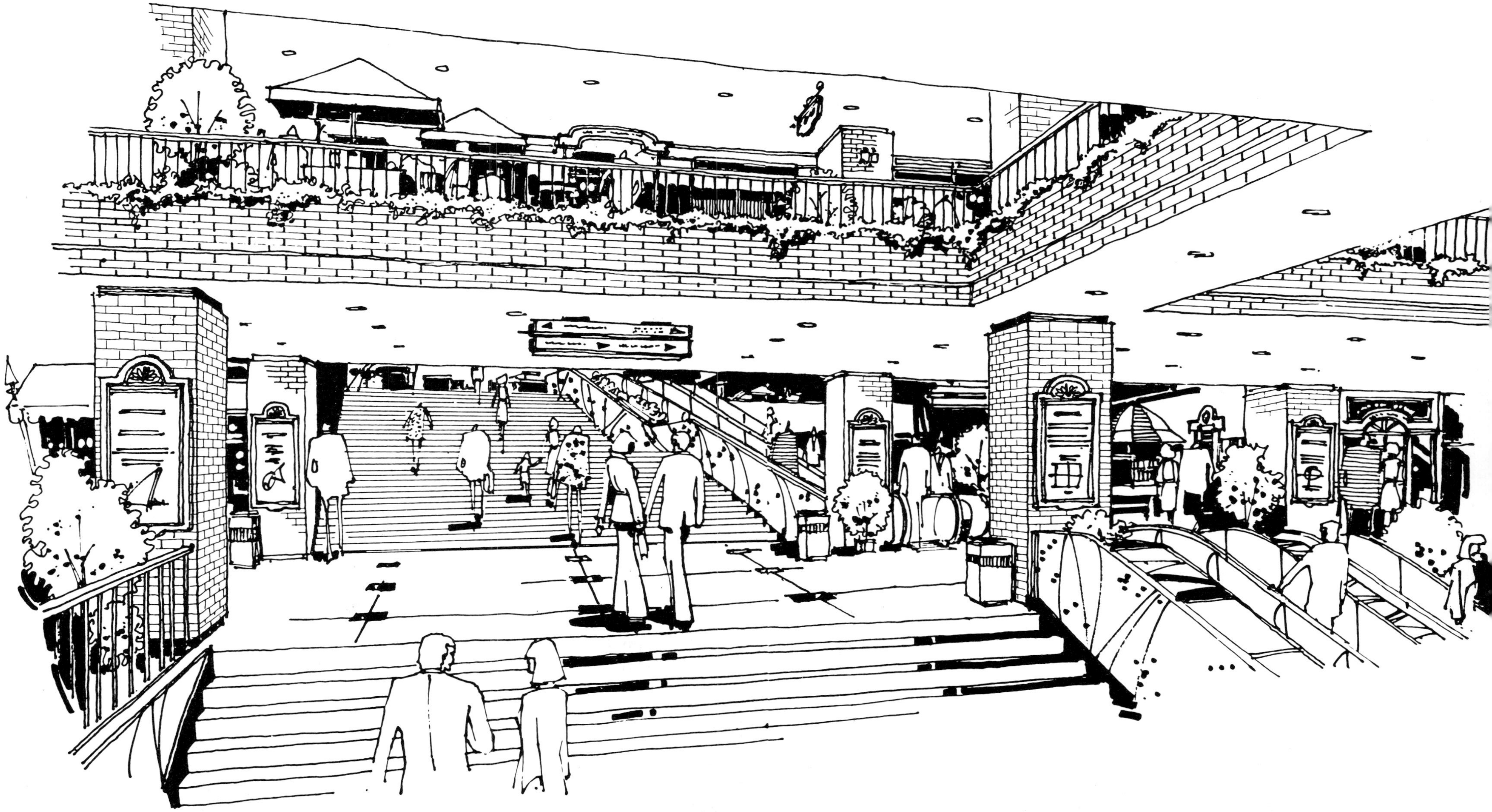

❶某ショッピングセンター・パブリック❹オレンジブック・小椋勇記夫

❶イシバシプラザ
❷沼津市
❸❹(株)船場SC総合開発研究所(東京)

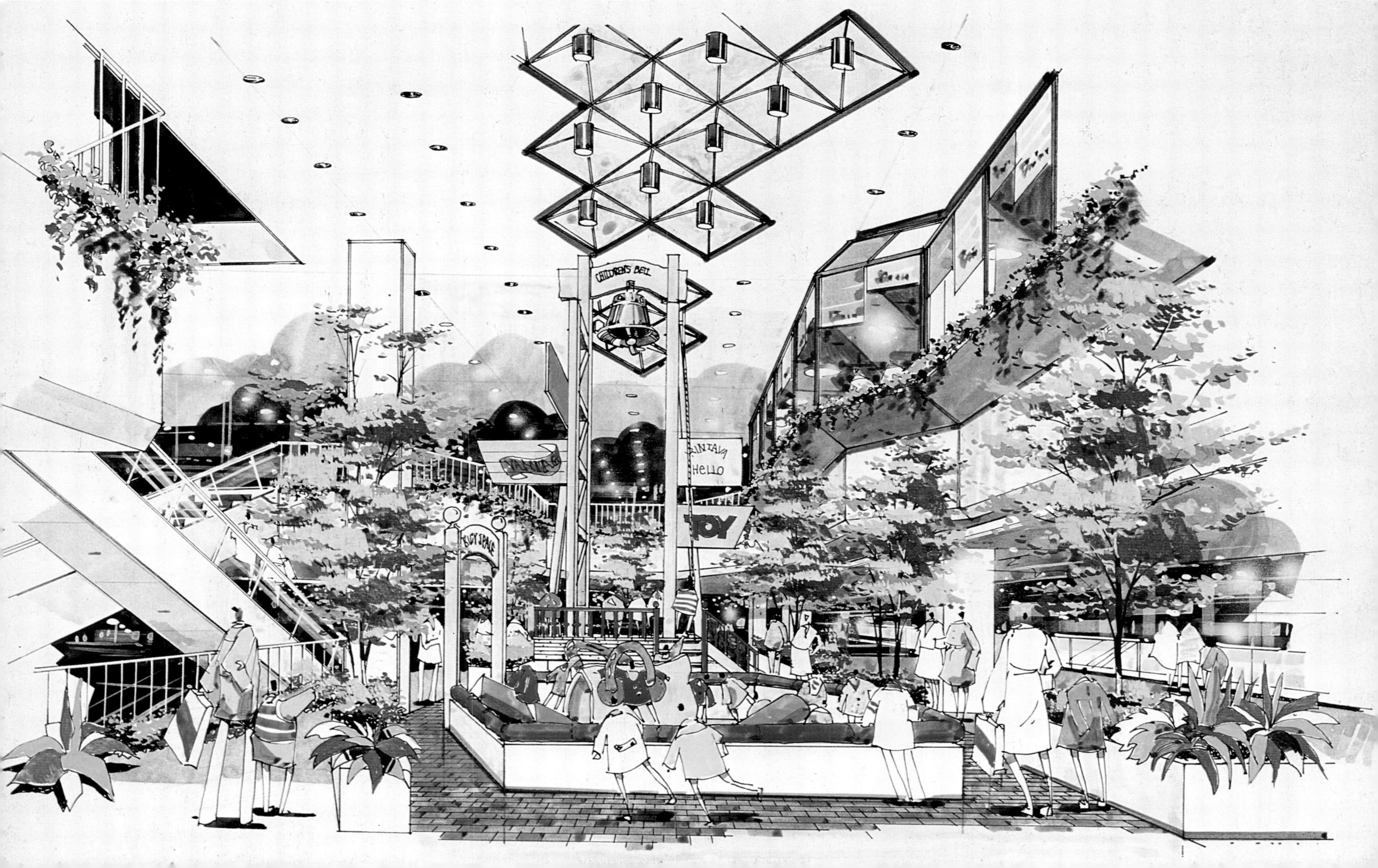
CHILDREN'S BELL
Hello
TOY

# 設計事務所・パース作画者・資料提供一覧

IDデザインルーム

㈱アルス・峰寛・広田覚・桜井輝昇・福永博仁・横山実

㈱アルテリア

㈱アド・スペース・インターナショナル・橋爪義尚

㈱赤松店舗研究所

秋山知恵子

麻野デザイン設計事務所・麻野捷年

イノウエデザイン

生美術建築デザイン研究所

稲生設計

岩井デザイン工房・岩井豊史

岩田アトリエ

内山デザインルーム

浦田武

㈱エクスプレーンインダストリー

㈱オズ・アトリエ

オレンジブック・小椋勇記夫

大壁英彦

大菅建築デザインルーム・大菅満義

KAKO・照井昭裕

カフ・アド・ハウス・金澤活

加藤秀弘

柏崎裕子

協同組合都市設計連合㈱西脇設計

協立建築設計事務所・デザイン室

熊谷常男

㈱ケンソー

㈱神戸日建・竹久逸美・嶋原一夫・井内一夫

小杉弘一建築設計事務所

サムシンク

㈱サンアド

㈱サンテリア

沢井建築事務所

JOHN & ASSOCIATES I.N.C

シマデザイン・安藤満義

重松宏尚

重盛友里恵

商業建築研究所

スタジオ・ウルフ・松村範也

㈱スペース・デザイン一級建築士事務所・武石馨

㈱末徳・三田博己・安江広隆

杉坂建築設計事務所

杉山建築設計事務所

駿河意匠計画室

㈱精宏社

㈱千伝社

㈱船場SC総合開発研究所（東京・大阪）・笹木秀近

綜合インテリア設計事務所・早川文彦

DAIZEN建築設計事務所

タクトデザインスタジオ・中沢常夫・小菅寿彦

㈱タツカミ創作室

竹内スタジオ・竹内欽吾

㈱高島屋装飾部・設計室

大成観光

大成建設㈱

大亜建設設計部

㈱竹中工務店

㈱田中建築設計事務所・田中四朗

㈱丹青社・山本勝三

㈱辻本デザイン事務所・辻本達広・岩瀬伸一・長尾光芳

㈱デザインオフィス・カーニバル

㈱デザインセンターキャップ・吉田勝義

㈱電通

トミアトリエ・斎藤富子

ドーンデザイン研究所・水戸岡鋭治

ドーン工房・深沢千賀子

東急建設㈱

㈱東畑建築事務所

戸塚佳治設計事務所

㈱内藤マサヒロ建築研究所

中村インテリア設計事務所・中村公彦

ニッテン設計事務所・武塙彩子・高沢公夫・
八百一喜・福岡信義・遊佐清文

㈱日建設計・芳谷勝瀰

日産建設㈱

㈱日展・永井朔・佐々木勇・内藤武夫・山本泰彦・
福田信義・金津秀三郎・服部均

日本レストラン企画㈱

㈱乃村工芸社商業施設開発事業部・大熊俊隆

㈱白宣建築工芸・尾崎義龍・木村和政

㈱長谷川工務店

畠山一級建築士事務所

汎インテリア設計事務所

㈱汎美設計大阪事務所

ヒューマンファクター・門脇信夫

フジデザインルーム・藤井道雄

㈱フジタ工業

フジノデザインルーム・藤野健二

㈱福田デザイン

富士ランド㈱

㈱富士総合企画

古沢京子

堀田富弥

マイプロデザイン

㈱マキセ美術建築部・中井嘉宣

マコム設計事務所

牧野達夫

㈱桝谷設計

㈱松坂屋家具装飾部設計課

松鷹一海デザイン設計事務所・松鷹一海

松森良雄

松原政瑠研究所

丸潟設計事務所・丸潟栄治

森京介建築事務所

YAMAデザイン・オフィス・山本靖則

㈱ヤシマ

山城スタジオ・山城義彦

㈱安井建築設計事務所

柳建築設計事務所・柳多聞

山村憲一

吉江憲吉設計事務所

ライトハウス・荻野恒雄

ライフデザイン・佐藤秀夫

ラカム設計

龍明デザイン事務所・龍明

レンダリングRIYA

ワタナベスタジオ・渡辺洋美

**（五十音順）**

## 編集後記

5年前、正確には1974年7月に、私どもから「商業建築パース集」（内装・外装各編）を刊行しました。商業建築物のパースを作品集としてまとめるという企画は、当時では画期的なことで、それだけに取材・編集に大変苦労したことを憶えております。この2冊の作品集をきっかけとして、以来「現代建築パース集」「住宅パース集」を刊行し、パース作品集として一連のシリーズを世に送ってまいりました。

近年、パースの需要が急速に高まり、それにつれて、パースデザイナーの地位も徐々に向上していることは喜こばしいことです。これも、私どもの一連のシリーズが一つの大きな導火線としての役割りをはたしたものと自負している次第です。

ところで、この5年間にパース業界をとりまく環境も大きく変化し、また、建築業界も大きく変革しました。建築デザインの変革は目覚しいものがあり、パース界に於けるイノベーションは急速に進んでおります。パースデザイナーのニュー・エントリーも激しく、パーサーの底辺も拡大され、それに伴って、業界全体のレベルも向上しました。

今回、これら諸般の事情を充分に捉え、5年前の作品集をさらに充実させて“新版”あるいは“続編”という形で本書を編集してみました。当初は、“外装編”を同時刊行する予定で取材を続けてまいりましたが、編集作業の処理上、若干の遅れがあったため、やむなく1ヶ月遅れで“外装編”を発刊いたします。

ところで、ファサードを含めた外装と内装を分冊にすることに、出品者側からクレームがありました。たしかに、内装のデザインと外装のデザインは密接な関係をもっていることは充分理解しております。そこで、できるだけエクステリアをインナーと同時に掲載するよう心がけましたが、紙面の制約もあり、分けざるを得ないものも出てまいりました。これらの作品には、本文中のコピーに※印を付してありますので、“外装”編をご参考にしていただきたいと思います。

本書は、商業建築を業種別分類して、各項目ごとに作品を収録する形をとらず、業種の区別なく作品を羅列してあります。これは、業種別にバラつきがあったため、止むを得ずとった処置です。「見にくい」というお叱りは充分覚悟しておりますが、ご了承ください。

収録作品は、編集部で選定させていただきましたが、多数ご応募いただきながら、紙面の都合上割愛した作品も多数あります。紙上をかりてお詫び申し上げます。なお今回は、取材した作品にカラー作品が多く、このため、カラー頁を大幅に増やしております。

最後に本書刊行に当り、数多くの作品をお寄せいただきました設計事務所並びにパーサーデザイナーの方々、および、玉稿をいただきました大熊俊隆、丸潟栄治、辻本達広の諸氏には厚くお礼申し上げます。また、本書のために作品を特別に提供しようと日夜努力されながら、半ばにして逝去されました松坂屋・牧野達夫氏には衷心よりおくやみ申し上げます。

**編集部**